中华人民共和国国家标准

工业炉砌筑工程施工与验收规范

Code for construction and acceptance
of industrial furnaces building

GB 50211-2014

主编部门:中 国 冶 金 建 设 协 会
批准部门:中华人民共和国住房和城乡建设部
施行日期:2 0 1 5 年 8 月 1 日

中国计划出版社

2014 北 京

中华人民共和国国家标准

工业炉砌筑工程施工与验收规范

GB 50211-2014

☆

中国计划出版社出版

网址:www.jhpress.com

地址:北京市西城区木樨地北里甲 11 号国宏大厦 C 座 3 层

邮政编码:100038　电话:(010) 63906433(发行部)

新华书店北京发行所发行

北京市科星印刷有限责任公司印刷

850mm×1168mm　1/32　8.25 印张　208 千字

2015 年 6 月第 1 版　2015 年 6 月第 1 次印刷

☆

统一书号:1580242·639

定价:46.00 元

中华人民共和国住房和城乡建设部公告

第 659 号

住房城乡建设部关于发布国家标准
《工业炉砌筑工程施工与验收规范》的公告

现批准《工业炉砌筑工程施工与验收规范》为国家标准，编号为 GB 50211—2014，自 2015 年 8 月 1 日起实施。其中，第 3.2.44、3.2.65、4.1.6、4.3.10、4.4.13、6.3.11、7.1.9、7.1.39、7.1.53、8.1.2、8.2.11、9.2.7、10.8.10、12.3.7、13.3.9、20.0.4、21.1.7 条为强制性条文，必须严格执行。原《工业炉砌筑工程施工及验收规范》GB 50211—2004 同时废止。

本规范由我部标准定额研究所组织中国计划出版社出版发行。

中华人民共和国住房和城乡建设部
2014 年 11 月 15 日

前　　言

本规范是根据住房和城乡建设部《关于印发〈2010 年工程建设标准制订、修订计划〉的通知》（建标〔2010〕43 号）的要求,由中冶武汉冶金建筑研究院有限公司和宏盛建业投资集团有限公司会同有关单位,共同在原《工业炉砌筑工程施工及验收规范》GB 50211—2004 的基础上修订完成的。

在编制过程中,编制组广泛调查研究,认真总结实践经验,参考有关国际标准和国外先进标准。在广泛征求意见的基础上,最后经审查定稿。

本规范共分 21 章和 2 个附录,主要内容包括总则,术语,基本规定,不定形耐火材料,耐火陶瓷纤维,高炉及其附属设备,焦炉及干熄焦设备,炼钢炉及相关设备,加热炉、热处理炉和退火炉,闪速炉、艾萨炉、回转熔炼炉、矿热电炉、卧式转炉、固定式精炼炉和回转式精炼炉,铝电解槽,炭素煅烧炉和炭素焙烧炉,玻璃窑炉,回转窑、石灰竖窑及其附属设备,隧道窑和辊道窑,转化炉和裂解炉,工业锅炉,冬期施工,验收资料,烘炉,施工安全和环境保护等。

本规范修订的主要技术内容是:

1. 本规范名称由原“工业炉砌筑工程施工及验收规范”修改为“工业炉砌筑工程施工与验收规范”。

2. 本次修订对强制性条文进行了梳理,删除了其中部分条文。

3. “工业炉砌筑的基本规定”一章更名为“基本规定”,同时删除“换热器和换热室”的有关内容,并将“耐火泥浆”的内容调整至第 4 章。

4. “不定形耐火材料”一章增加“湿法喷涂”的施工内容,并增加"耐火泥浆"和"耐火压浆料"两节。

5. 作为耐火陶瓷纤维的一种重要施工方法,"耐火陶瓷纤维"一章增加"折叠式模块"一节,同时删除原附录B。

6. "高炉及其附属设备"一章增加"热风管道"一节。

7. "炼钢转炉、炼钢电炉、混铁炉、混铁车和炉外精炼炉"一章更名为"炼钢炉及相关设备",增加"钢水罐"一节,并调整各节顺序。

8. "均热炉、加热炉和热处理炉"一章更名为"加热炉、热处理炉和退火炉",增加"退火炉"一节,删除"均热炉"一节。

9. "反射炉、矿热电炉、回转熔炼炉、闪速炉和卧式转炉"一章更名为"闪速炉、艾萨炉、回转熔炼炉、矿热电炉、卧式转炉、固定式精炼炉和回转式精炼炉",根据工艺流程调整各炉种顺序。增加"艾萨炉"、"固定式精炼炉"和"回转式精炼炉"三节,删除"反射炉"一节。

10. "玻璃熔窑"一章更名为"玻璃窑炉",涵盖范围广。原"熔化部、澄清部和冷却部"修订为"熔化部、卡脖和冷却部"。

11. "回转窑及其附属设备"一章更名为"回转窑、石灰竖窑及其附属设备",增加"石灰竖窑"一节。回转窑部分进行较大幅度的修订,将原规范"预热器"和"冷却机及其他设备"两节删减合并为"预热器系统、箅式冷却机及其他设备"一小节。

12. "隧道窑、倒焰窑"一章更名为"隧道窑和辊道窑",增加"辊道窑"一节。倒焰窑因节能和环保原因被列为行业限建项目,本次修订予以删除。

13. "转化炉和裂解炉"一章对原条文进行综合归并,将"一段转化炉"和"裂解炉"两节合并为"一段转化炉和裂解炉"一节,修订幅度较大。

14. 由于近年来以天然气和石油液化气作为主要能源,较少新建连续式直立炉,本次修订删除该章节。

15. "工程验收与烘炉"一章分为"验收资料"和"烘炉"两章,

"烘炉"一章变动较大。

16. 根据工业炉砌筑工程施工的特殊性和国家安全环保政策，增加"21 施工安全和环境保护"一章。

本规范中以黑体字标志的条文为强制性条文，必须严格执行。

本规范由住房和城乡建设部负责管理和对强制性条文的解释，由中国冶金建设协会负责日常管理，由中冶武汉冶金建筑研究院有限公司负责具体技术内容的解释。执行过程中如有意见或建议，请寄送中冶武汉冶金建筑研究院有限公司《工业炉砌筑工程施工与验收规范》管理组（地址：湖北省武汉市青山区和平大道1256号，邮政编码：430081），以便今后修订时参考。

主 编 单 位：中冶武汉冶金建筑研究院有限公司
　　　　　　宏盛建业投资集团有限公司

参 编 单 位：中国一冶集团有限公司
　　　　　　武汉钢铁集团耐火材料有限责任公司
　　　　　　山东鲁阳股份有限公司
　　　　　　上海宝冶建设工业炉工程技术有限公司
　　　　　　中国二十二冶集团有限公司
　　　　　　中国五冶集团有限公司
　　　　　　武汉钢铁集团精鼎工业炉有限责任公司
　　　　　　中国二十冶集团有限公司
　　　　　　大冶有色金属有限责任公司
　　　　　　七冶炉窑建筑工程有限责任公司
　　　　　　瑞泰科技股份有限公司
　　　　　　景德镇陶瓷学院
　　　　　　天津金耐达筑炉衬里有限公司
　　　　　　中国石化工程建设有限公司
　　　　　　中国汽车工业工程有限公司
　　　　　　中国三冶集团有限公司
　　　　　　宝钢股份有限公司

参 加 单 位:武汉金威工业炉工程有限公司
　　　　　　巩义市第五耐火材料总厂
　　　　　　武汉威林科技股份有限公司
　　　　　　黄冈市华窑中扬窑业有限公司
　　　　　　淄博中科达耐火材料有限公司
主要起草人:方昌荣　　黄志球　　黎耀南　　周金虎　　张嘉严
　　　　　　程水明　　鹿自忠　　孙怀平　　叶　俊　　许嘉庆
　　　　　　钟英卓　　程爱民　　张传望　　侯世英　　刘成西
　　　　　　舒旭波　　张　松　　金烈火　　汪和平　　崔永谦
　　　　　　蔡建光　　张艳明　　吴志敏　　姜　华　　彭　艳
　　　　　　周金旺
主要审查人:王周福　　于昕洋　　王渝斌　　冯少峰　　邓　棠
　　　　　　吕永劲　　冷永波　　李世耀　　李国庆　　何　飞
　　　　　　何天均　　张新玉　　杨俊峰　　周永旭　　胡立琼
　　　　　　徐　超　　康　建　　盛军波　　黄秋云　　梁新闻
　　　　　　谢大勇　　彭云涛　　蒋福军　　董　霞　　颜志刚

目　录

Contents

1 总 则

1.0.1 为了规范工业炉砌筑工程施工与验收,确保工程质量,制定本规范。

1.0.2 本规范适用于工业炉砌筑工程的施工与验收,包括工业炉砌筑的共同规定及所列各专业炉砌筑的特殊要求。

1.0.3 工业炉砌筑工程的施工与验收除应符合本规范外,还应符合国家现行有关标准的规定。

2 术 语

2.0.1 工业炉砌筑 industrial furnace building

指工业炉窑及其附属设备砌体的施工,主要包括定形、不定形、耐火陶瓷纤维等耐火材料的施工。

2.0.2 砌体 brickwork

用定形、不定形、耐火陶瓷纤维等耐火材料砌筑成的实体。

2.0.3 耐火泥浆 refractory mortar

由粉状耐火材料和结合剂构成的用于粘接或填充缝隙的混合物。

2.0.4 湿砌 wet masonry,wet building

使用耐火泥浆粘接和填充砖缝的砌筑方法。

2.0.5 干砌 dry masonry,dry building

使用干耐火粉(或垫片)填充砖缝,或直接用耐火砖(或块)垒砌的砌筑方法。

2.0.6 预砌筑 pre-masonry,pre-building

指正式砌筑前的试砌筑及组合砖的预组装。

2.0.7 砖缝 brick joint

砌体中砖(或块)与砖(或块)之间的缝隙。

2.0.8 水平缝 horizontal joint

水平砖层间的砖缝。

2.0.9 垂直缝 vertical joint

垂直于水平缝的砖缝。

2.0.10 放射缝 radial joint

环状砌体中的径向砖缝。

2.0.11 环缝 ring joint

环状砌体相邻砖环间的砖缝。

2.0.12 错缝砌筑 staggered-joint building

砖缝交错的砌筑方法。

2.0.13 膨胀缝 expansion joint

施工过程中在砌体内或周围预留的缓冲热膨胀的间隙。

2.0.14 拱 arch

炉窑砌体中的门或孔洞上方用于承载上部砌体,具有拱高、半径和跨距等拱形特征的砌体。

2.0.15 拱顶 arch roof

炉窑空间顶部具有拱形特征的砌体。

2.0.16 养护 curing

不定形耐火材料施工后,在规定的环境、温度、时间条件下,获得预期性能的过程。

2.0.17 烘炉 furnace heating

工业炉投产前按规定的温度曲线,对炉体或砌体进行干燥及加热的过程。

3 基本规定

3.1 材料的验收、保管和运输

3.1.1 运至施工现场的材料均应具有质量证明书。

3.1.2 不定形耐火材料应具有产品使用说明书。有时效性的材料应注明其有效期限。

3.1.3 耐火材料的牌号、砖号、等级在施工前均应按文件资料检查,外观质量应进行检查。必要时应由试验室做理化指标检验。

3.1.4 有可能变质的材料经检验其理化指标符合设计规定才可使用。利用拆炉回收的耐火砖时,应清除耐火泥浆和炉渣。经检验合格后,可砌于工业炉的次要部位。

3.1.5 耐火材料仓库及运输道路均应于耐火材料进场前建成。

3.1.6 耐火材料应按牌号、砖号、等级和砌筑顺序放置,并应作出标识。

3.1.7 不定形耐火材料、结合剂和耐火陶瓷纤维及制品应保管在仓库内,不得受潮和混淆。有防冻要求的材料应采取防冻措施。

3.1.8 硅砖、刚玉砖、镁质制品、炭素制品、含炭制品、隔热制品和用于重要部位的高铝砖、黏土耐火砖等应存放在仓库内。

3.1.9 受潮易变质的耐火材料应采取防护措施。

3.1.10 耐火材料宜采用集装方式运输,不得受湿。运输、装卸耐火制品时应轻拿轻放。

3.2 施 工

I 一 般 规 定

3.2.1 工业炉砌筑工程应于炉体基础、炉体钢结构和有关设备安装经检查合格并签订工序交接证明书后,才可进行施工。工序交接证明书应包括下列内容:

1 炉体中心线和控制标高的测量记录以及必要的沉降观测点的测量记录;

2 隐蔽工程的验收合格证明;

3 炉体冷却装置、管道和炉壳的试压记录或焊接严密性试验验收合格的证明;

4 钢结构和炉内设备等安装位置的主要尺寸的复测记录;

5 可动炉子或炉子可动部分的试运转合格的证明;

6 炉内托砖板和锚固件的位置、尺寸及焊接质量的检查合格证明;

7 上道工序成品的保护要求。

3.2.2 根据所要求的砌筑精细程度,耐火砌体可分为五类。各类砌体砖缝的厚度应符合下列规定:

1 特类砌体不应大于 0.5mm;

2 Ⅰ类砌体不应大于 1mm;

3 Ⅱ类砌体不应大于 2mm;

4 Ⅲ类砌体不应大于 3mm;

5 Ⅳ类砌体可大于 3mm。

3.2.3 除设计另有规定外,一般工业炉各部位砌体砖缝的厚度应符合表 3.2.3 规定的数值。

表 3.2.3 一般工业炉各部位砌体砖缝的厚度

项次	部 位 名 称	砌体砖缝的厚度(mm)≤
1	底和墙	3
2	高温或有炉渣作用的底、墙	2

项次	部 位 名 称	砌体砖缝的厚度(mm)≤
3	拱和拱顶: (1)湿砌 (2)干砌	 2 1.5
4	带齿挂砖: (1)湿砌 (2)干砌	 3 2
5	隔热耐火砖(黏土质、 高铝质和硅质): (1)工作层 (2)非工作层	 2 3
6	硅藻土砖隔热层	5
7	普通黏土砖内衬	5
8	外部普通黏土砖	10
9	管道	3
10	烧嘴砖	2

3.2.4 砌筑一般工业炉的允许偏差应符合表 3.2.4 规定的数值。

表 3.2.4 砌筑一般工业炉的允许偏差

项次	偏 差 名 称	允许偏差(mm)
1	垂直偏差: (1)墙 每米高 全高 (2)基础砖墩 每米高 全高	 3 15 3 10

项次	偏 差 名 称	允许偏差(mm)
2	表面平整偏差(用 2m 靠尺检查,靠尺与砌体之间的间隙): 　(1)墙面 　(2)挂砖墙面 　(3)拱脚砖下的炉墙上表面 　(4)底面	 5 7 5 5
3	线尺寸偏差: 　(1)矩(或方)形炉膛的长度和宽度 　(2)矩(或方)形炉膛的对角线长度差 　(3)圆形炉膛内半径 　内半径≥2m 　内半径<2m 　(4)拱和拱顶的跨度 　(5)烟道的高度和宽度	 ±10 15 ±15 ±10 ±10 ±15

3.2.5 特类砌体应精细加工,并应按其厚度和长度选分;Ⅰ类砌体应按砖的厚度和长度选分,当砖的尺寸偏差达不到砖缝要求时应加工;Ⅱ类砌体应按砖的厚度选分,必要时可加工。选砖时,砖的尺寸偏差应满足所规定的砖缝要求。

3.2.6 工业炉复杂而重要的部位应预砌筑,并应做好记录。

3.2.7 工业炉的中心线和主要标高控制线应由仪器测量确定。砌筑前应校核砌体的放线尺寸。

3.2.8 固定在砌体内的金属埋设件应于砌筑前或砌筑时安设。砌体与埋设件之间的间隙及其中的填料应符合设计规定。

3.2.9 炉底和炉墙砌体与炉内设置的传送装置之间的间隙应按设计规定的尺寸留设。

3.2.10 在施工过程中直至投入生产前,耐火砌体和隔热砌体应预防受湿。

3.2.11 砌体应错缝砌筑。

3.2.12 湿砌砌体砖缝中的耐火泥浆应饱满,其表面应勾缝并填平压实。

3.2.13 砌耐火砖时应使用木锤或橡胶锤找正,不应使用铁锤,不得直接在砌体上砍凿耐火砖。耐火泥浆干涸后不得敲击砌体。

3.2.14 砌砖中断或返工拆砖应留槎时,应做成阶梯形的斜槎。

3.2.15 耐火砖的加工面和有缺陷的表面不宜朝向工作面。

3.2.16 砌体内的各种孔洞、通道、膨胀缝以及隔热层等,应在施工过程中及时检查几何尺寸并清理杂物。

3.2.17 砌体膨胀缝的尺寸及分布位置均应按设计规定留设。当设计对膨胀缝的尺寸没有规定时,每米砌体膨胀缝的平均尺寸可采用下列数据:

    1 黏土砖砌体为 5mm～6mm;

    2 高铝砖砌体为 7mm～8mm;

    3 刚玉砖砌体为 9mm～10mm;

    4 镁铝砖砌体为 10mm～11mm;

    5 硅砖砌体为 12mm～13mm;

    6 镁砖砌体为 10mm～14mm。

3.2.18 留设膨胀缝的位置应避开受力部位和砌体中的孔洞。

3.2.19 砌体内、外层的膨胀缝不应互相贯通,上、下层宜错开。

3.2.20 当耐火砌体工作层的膨胀缝与隔热层砌体贯通时,该处的隔热耐火砖应用耐火砖代替。拱顶贯穿膨胀缝应用耐火砖(或块)覆盖。

3.2.21 留设的膨胀缝应均匀平直。缝内应保持清洁,并应按规定填充材料。

3.2.22 托砖板与其下部砌体之间、托砖板上部砌体与下部砌体之间均应留有间隙。间隙尺寸及填充材料应符合设计规定。

3.2.23 当托砖板下的膨胀缝不能满足设计尺寸时,可加工托砖板下部的耐火砖。加工后耐火砖的厚度不应小于原砖厚度的 2/3。

3.2.24 当砌体与设备、构件、埋设件和孔洞有关联时,应根据膨胀后尺寸的变化,确定砌体的冷态尺寸或膨胀间隙。

3.2.25 当基础有沉降缝时,上部砌体应留设沉降缝。缝内应用耐火陶瓷纤维或其他填料塞紧。

3.2.26 耐火砌体的砖缝厚度应用塞尺检查,塞尺宽度为 15mm,塞尺厚度应等于被检查砖缝的规定厚度。当用塞尺插入砖缝的深度不超过 20mm 时,该砖缝即认为合格。不得使用端头已磨损的以及不标准的塞尺。

3.2.27 耐火砌体的砖缝厚度和耐火泥浆饱满度应及时检查。一般工业炉及工业炉的一般部位,耐火泥浆饱满度应大于 90%;对气密性有较严格要求以及有熔体或渣侵蚀的部位,其砖缝的耐火泥浆饱满度应大于 95%。工业炉砌体砖缝的厚度应在炉子每部分砌体每 5m² 的表面上用塞尺检查 10 处,比规定砖缝厚度大 50% 以内的砖缝应符合下列规定:

1 Ⅰ类砌体应为 4 处;

2 Ⅱ类砌体应为 4 处;

3 Ⅲ类砌体应为 5 处;

4 Ⅳ类砌体应为 5 处。

3.2.28 特类砌体每 5m² 的表面上用塞尺检查 20 处,比规定砖缝厚度大 50% 以内的砖缝不应超过 4 处。

Ⅱ 底 和 墙

3.2.29 炉底应放线砌筑。砌筑炉底前应预先找平基础。必要时可加工第一层耐火砖。砌筑反拱底前,应用样板找准砌筑弧形拱的基面。

3.2.30 炉底与炉墙的砌筑顺序应符合设计规定。经常检修的炉底应砌成活底。

3.2.31 砌筑可动炉底时,可动炉底与相关部位之间的间隙应按设计规定的尺寸留设。

3.2.32 砌筑斜坡炉底时,其工作层可退台或错台砌筑。下部所形成的空隙部分可用相应材质的不定形耐火材料填实并找平。

3.2.33 反拱底应从中心向两侧对称砌筑。

3.2.34 非弧形炉底、通道底的最上层砖的长边方向,应与炉料、熔体、渣或气体的流动方向垂直或成一交角。

3.2.35 直墙应立标杆拉线砌筑。当两面均为工作面时,应同时拉线砌筑。炉墙砌体应横平竖直。

3.2.36 圆形炉墙宜按中心线砌筑。当炉壳的中心线垂直偏差和半径偏差符合炉内形要求时,可以炉壳为导面进行砌筑。

3.2.37 当炉壳的中心线垂直偏差和半径偏差符合炉内形要求时,卧式圆形砌体应以炉壳为导面进行砌筑。

3.2.38 弧形墙应按样板放线砌筑,并应用样板检查墙的几何尺寸。加工后合门砖的宽度不应小于原砖宽度的1/2。

3.2.39 具有拉钩砖或挂砖的炉墙,其砖槽的受拉面应与挂件靠紧,砖槽的其余各面与挂件间应保留间隙。

3.2.40 炉墙内的拉砖杆和拉砖钩(图 3.2.40)应符合下列规定:

1 拉砖杆应平直,其弯曲度每米长不宜超过 3mm;

2 拉砖杆不得出现不拉或虚拉的现象;

3 拉砖杆在纵向膨胀缝处应断开;

4 拉砖钩应平直地嵌入耐火砖内。

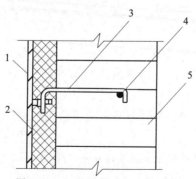

图 3.2.40　炉墙拉砖杆和拉砖钩

1—炉壳钢板;2—隔热层;3—拉砖钩;4—拉砖杆;5—耐火砖

3.2.41 隔热耐火砖砌体的拉砖钩(或锚固钩)应位于隔热耐火砖的中间。当拉砖钩(或锚固钩)遇到砖缝或膨胀缝时,可水平转动拉砖钩(或锚固钩),其嵌入处与砖缝或膨胀缝间的距离不应小于40mm(图3.2.41)。

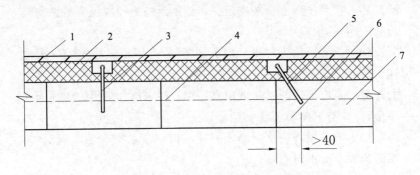

图3.2.41 拉砖钩(或锚固钩)转动

1—炉壳钢板;2—隔热层;3—拉砖钩(或锚固钩);4—托砖板;

5—水平转动的拉砖钩(或锚固钩);6—砖缝或膨胀缝;7—隔热耐火砖

3.2.42 圆形炉墙不得有三层重缝或三环通缝,上、下两层重缝与相邻两环的通缝不得在同一地点。圆形炉墙的合门砖应均匀分布。

3.2.43 拱脚砖下的炉墙上表面应按设计标高找平,表面应平整。拱脚砖与中心线的间距应符合设计规定。

Ⅲ 拱 和 拱 顶

3.2.44 拱胎及其支柱所用材料应满足支撑强度要求。

3.2.45 拱胎的弧度应符合设计规定,胎面应平整。拱胎应支设正确和牢固,并应经检查合格后,才可砌筑拱和拱顶。

3.2.46 砌筑拱顶前,拱脚梁与骨架立柱应靠紧,并应经检查合格。砌筑可调节骨架的拱顶前,骨架和拉杆应调整固定,并应经检查合格。

3.2.47 拱脚表面应平整,角度应正确。拱脚不得用加厚砖缝的方法找平。

3.2.48 拱脚砖应紧靠拱脚梁砌筑。当拱脚砖后面有砌体时,应在该砌体砌完后,才可砌筑拱和拱顶。拱脚砖后面不得砌筑隔热耐火砖或硅藻土砖。隔热耐火砖拱顶的拱脚砖后面,可砌与拱顶相应材质的耐火砖。

3.2.49 拱和拱顶宜错缝砌筑。错缝砌筑的拱和拱顶应沿纵向缝拉线砌筑,砖面应平直。

3.2.50 拱和拱顶上部找平层的加工砖,可用相应材质的耐火浇注料代替。

3.2.51 跨度不同的拱和拱顶宜环砌。环砌拱和拱顶的砖环面应平整,且应与纵向中心线垂直。

3.2.52 拱和拱顶应从两侧拱脚同时向中心对称砌筑。砌筑时,拱砖的大小头不得倒置。

3.2.53 拱和拱顶的放射缝应与半径方向相吻合。拱和拱顶的内表面应平整,错牙不应超过 3mm。

3.2.54 锁砖应按拱和拱顶的中心线对称均匀分布。跨度 3m 以下的拱和拱顶每环应打入 1 块锁砖,跨度 3m～6m 的拱和拱顶每环应打入 3 块锁砖,跨度 6m 以上的拱和拱顶每环应打入 5 块锁砖。

3.2.55 锁砖砌入拱和拱顶内的深度宜为砖长的 2/3～3/4,同一拱和拱顶内锁砖砌入的深度应一致。两侧对称的锁砖应同时均匀地打入。打入锁砖应使用木锤,使用铁锤时应垫以木块。

3.2.56 锁砖不得使用小于原砖厚度 2/3 的砖或加工长侧面使大面成楔形的砖。

3.2.57 砌筑球形拱顶应采用金属卡钩和拱胎相结合的方法。球形拱顶应逐环砌筑,并应及时合门,留槎不宜超过三环。合门砖应均匀分布,并应检查砌体的几何尺寸和放射缝的准确性。

3.2.58 吊挂砖应预砌筑,并应选分和编号,必要时可加工。吊挂平顶的吊挂砖应从中间向两侧砌筑。吊挂平顶的内表面应平整,错牙不应超过 3mm。当吊挂砖的耳环上缘与吊挂小梁之间有间隙时,应用薄钢片塞紧。砌筑吊挂平顶时,边砖同炉墙接触处应留设膨胀缝。斜坡炉顶应从下面的转折处开始向两端砌筑。

3.2.59 吊挂砖的主要受力处不得有横向裂纹。

3.2.60 炉顶吊挂砖砌完后,应在炉顶上面灌缝,并应在规定的部位铺砌隔热制品。

3.2.61 具有吊杆、螺母结构的吊挂砖砌完后,应将吊杆的螺母拧紧。拧紧螺母时,吊挂砖不得向上移动,吊钩应紧靠吊挂砖孔的上缘。

3.2.62 吊挂拱顶应环砌。环缝彼此应平行,并应与炉顶纵向中心线保持垂直。开始砌筑吊挂拱顶时,应先按设计要求砌一环,然后以此环为基准依次砌筑。

3.2.63 吊挂拱顶应分环锁紧,各环锁紧度应一致。锁砖锁紧后应立即将吊挂长销穿好。

3.2.64 跨度大于5m的拱胎在拆除前,应设置测量拱顶下沉的标志;拱胎拆除后,应做好下沉记录。

3.2.65 **拆除拱顶的拱胎,必须在锁砖全部打紧、拱脚处的凹沟砌筑完毕,以及骨架拉杆的螺母最终拧紧之后进行。**

Ⅳ　管　　道

3.2.66 管道内衬均应以管壳为导面砌筑。当管壳内有喷涂层时,应将喷涂层找圆,并应以此为导面进行砌筑。

3.2.67 管道内衬可在地面上分段砌筑或浇注,管道连接处应预留焊接空间,安装后应及时补砌或浇注。当管道砌体的直径小于600mm或矩形断面小于500mm×600mm时,应在地面上分段砌筑或浇注,每段长不应超过3m。

3.2.68 环形管道内衬应以管壳为导面分段砌筑,各段内衬的连接处应砌成直缝。

3.2.69 管道各岔口处宜采用耐火浇注料浇注或采用组合砖砌筑。

Ⅴ　烟　　道

3.2.70 烟道拱顶应错缝砌筑,形状复杂的拱顶可环砌。

3.2.71 地下烟道砌体使用的耐火泥浆,可掺入质量比为 10%~20%,强度等级不低于 32.5 级的普通硅酸盐水泥。

3.2.72 没有混凝土墙的地下烟道的拱顶,应在烟道墙外完成回填土后才可砌筑。当烟道墙较高或较薄时,烟道墙应采取防止向内倾倒的措施。

3.2.73 砌筑烟道闸门附近的砌体时,应按设计留设间隙。回转闸门底座上表面应高于烟道底上表面。

3.2.74 当烟道闸门具有框架结构时,闸门附近砌体应在框架安装定位后砌筑。与框架接触的耐火砖应加工,当设计未规定两者之间的间隙时,应使用相应材质的稠耐火泥浆填实。

4 不定形耐火材料

4.1 一般规定

4.1.1 不定形耐火材料受到污染或潮湿变质时,不得使用。

4.1.2 与不定形耐火材料接触的钢结构和设备的表面,应清除浮锈、油污、杂物。

4.1.3 施工中不得任意改变不定形耐火材料的配合比。搅拌好的不定形耐火材料中不得再任意加水或其他添加物。

4.1.4 不定形耐火材料搅拌过程中,需要加入钢纤维、结合剂、外加剂时,添加物应搅拌均匀。

4.1.5 不定形耐火材料搅拌用水应采用洁净水。沿海地区搅拌用水应经化验,其氯离子(Cl^-)的浓度不应超过 300mg/L。

4.1.6 模板安装应尺寸准确、稳固,模板接缝应严密,施工过程中模板不得产生变形、位移、漏浆,且应采取防粘措施。捣打时,连接件、加固件不得脱开。

4.1.7 锚固砖或吊挂砖的外形和尺寸应逐块检查和验收。锚固砖或吊挂砖的主要受力处不得有横向裂纹。

4.1.8 锚固砖或吊挂砖的位置应符合设计规定,并应与炉壳或吊挂梁垂直。在浇注、喷涂施工前,锚固砖或吊挂砖应预先润湿。

4.1.9 锚固砖、锚固座与锚固钩应互相拉紧,锚固砖应能随炉墙的胀缩而起落。锚固钩四周不得填料。

4.1.10 吊挂砖与吊挂梁之间应楔紧。烘炉前应拆除楔垫。

4.1.11 振动棒、捣固锤不宜直接作用于锚固砖或吊挂砖上。当需直接作用于锚固砖或吊挂砖上时,应垫木板。

4.1.12 不定形耐火材料内衬的尺寸允许偏差可按耐火砖内衬的要求确定。

4.2 耐 火 泥 浆

4.2.1 耐火泥浆的耐火度和化学成分应与所砌筑的耐火制品相匹配。耐火砌体常用的耐火泥浆应符合本规范附录 A 的规定。

4.2.2 砌筑前,应根据砌体类别通过试砌确定耐火泥浆的加液量,并应检验耐火泥浆的砌筑性能。

4.2.3 耐火泥浆的粘接时间应视耐火制品材质和外形尺寸的大小而定,宜为 1.0min～1.5min。

4.2.4 耐火泥浆的稠度应与砌体类别相匹配。耐火泥浆的稠度及其适用的砌体类别应符合表 4.2.4 的规定。

表 4.2.4　　耐火泥浆的稠度及其适用的砌体类别

名　　称	稠度(0.1mm)	砌 体 类 别
耐火泥浆	320～380	Ⅰ、Ⅱ
	280～320	Ⅲ
	260～280	Ⅳ

注:耐火砌体的分类应按本规范第 3.2.2 条的规定执行。

4.2.5 测定耐火泥浆的稠度应按现行国家标准《耐火泥浆　第 1 部分:稠度试验方法(锥入度法)》GB/T 22459.1 的有关规定执行。测定耐火泥浆的粘接时间应按现行国家标准《耐火泥浆　第 3 部分:粘接时间试验方法》GB/T 22459.3 的有关规定执行。

4.2.6 砌筑工业炉应采用成品泥浆。耐火泥浆的最大粒径不应超过规定砖缝厚度的 30%。

4.2.7 耐火泥浆应按规定的配合比配制、计量准确,并应搅拌均匀。

4.2.8 不同牌号的耐火泥浆搅拌时,不得混用搅拌机具和泥浆槽。

4.2.9 掺有水泥、水玻璃的耐火泥浆及镁质耐火泥浆,搅拌后应及时使用。已初凝的耐火泥浆不得使用。

4.3 耐火浇注料

4.3.1 与耐火浇注料接触的隔热砌体的表面应采取防水措施。

4.3.2 耐火浇注料应采用强制式搅拌机搅拌。搅拌时间及加液量应按产品使用说明书执行。变更用料牌号时,应清洗搅拌机具、料斗和称量容器。

4.3.3 搅拌好的耐火浇注料应在 30min 内浇注完,或根据产品使用说明书在规定的时间内浇注完。已初凝的耐火浇注料不得使用。

4.3.4 耐火浇注料中钢筋或金属埋设件应设在非受热面。钢筋或金属埋设件与耐火浇注料接触部分应根据设计规定设置膨胀缓冲层。

4.3.5 整体浇注耐火内衬膨胀缝的设置应符合设计规定。当设计对膨胀缝没有规定时,可根据现行国家标准《耐火材料 热膨胀试验方法》GB/T 7320 的检验结果设置。对于黏土质或高铝质的耐火浇注料等,每米长的内衬膨胀缝的平均数值还可采用下列数据:

    1 黏土耐火浇注料为 4mm～6mm;

    2 铝酸盐水泥耐火浇注料为 6mm～8mm;

    3 磷酸盐耐火浇注料为 6mm～8mm;

    4 水玻璃耐火浇注料为 4mm～6mm;

    5 硅酸盐水泥耐火浇注料为 5mm～8mm。

4.3.6 耐火浇注料应振捣密实。振捣机具宜采用振动棒或平板振动器。使用振动棒时,浇注层厚度不应超过振动棒工作部分长度的 1.25 倍;使用平板振动器时,其厚度不应超过 200mm。

4.3.7 隔热耐火浇注料宜采用人工捣固。当采用机械振捣时,应防止离析和体积密度增大。

4.3.8 耐火浇注料施工应连续进行。在前层耐火浇注料初凝前,应将次层耐火浇注料浇注完毕。间歇超过初凝时间应按施工缝的要求处理。施工缝应留在同一排锚固砖的中心线处。

4.3.9 耐火浇注料施工后应按设计规定的方法养护。当无设计规定时,可按表4.3.9的规定执行。耐火浇注料养护期间不得受外力及振动。

表4.3.9 耐火浇注料的养护制度

项次	结合剂	养护环境	适宜养护温度(℃)	养护时间(d)
1	结合黏土	干燥养护	15~35	≥3
2	铝酸盐水泥	潮湿养护	15~25	≥3
3	磷酸	干燥养护	20~35	3~7
4	水玻璃	干燥养护	15~30	7~14
5	硅酸盐水泥	潮湿养护	15~25	≥7
		蒸汽养护	60~80	0.5~1

注:1 潮湿养护应在硬化开始后覆盖并浇水,浇水次数以能保持潮湿状态为宜。
  2 蒸汽养护的升温速度宜为10℃/h~15℃/h,降温速度不宜超过40℃/h。

4.3.10 承重模板应在耐火浇注料达到设计强度的70%以上后拆除。热硬性耐火浇注料应烘烤到指定温度之后拆模。

4.3.11 耐火浇注料的现场浇注质量,对每一种牌号或同一配合比应每20m³为一批留置试块进行检验,不足此数亦作一批检验。当采用同一种牌号或同一配合比多次施工时,每次施工均应留置试块。试块检验宜按国家现行有关标准的规定执行。

4.3.12 耐火浇注料衬体表面可有轻微的网状裂纹,但不得有裂缝、孔洞、剥落等缺陷。

4.3.13 运到施工现场的耐火浇注料预制件的表面上应包括下列内容:

    1 生产单位印记;

    2 质量检验合格印记;

    3 在不同的三个面上有与施工图一致的部件编号;

    4 吊点标志;

    5 生产日期。

4.3.14 耐火浇注料预制件不宜露天码放。当需露天码放时,应采取防雨防潮措施。

4.3.15 码放耐火浇注料预制件时,支承的位置和方法应符合预制件的受力情况。炉顶预制件不宜码放,当需码放时,不得直接码放在炉顶预制件的吊挂砖上。

4.3.16 耐火浇注料预制件应设有吊装环,当需要制作临时吊具时,应按吊装要求执行。起吊耐火浇注料预制件时,预制件的强度应达到设计规定的强度。耐火浇注料预制件吊运时应轻起轻放。

4.3.17 对于用吊挂砖作传力系统的炉顶预制件,在吊运、安装过程中,每块吊挂砖应均衡受力,不得受损。

4.3.18 耐火浇注料预制件砌体缝隙的宽度及处理应按设计规定执行。

4.4 耐火可塑料

4.4.1 耐火可塑料应储存在阴凉处,密封良好。施工前应按现行行业标准《粘土质和高铝质耐火可塑料可塑性指数试验方法》YB/T 5119 检查耐火可塑料的可塑性指数。

4.4.2 采用支模法捣打耐火可塑料时,吊挂砖的端面与模板之间的间隙宜为 4mm～6mm,捣打后不应超过 10mm。

4.4.3 耐火可塑料料坯铺排应错缝靠紧。采用散状耐火可塑料时,每层的铺料厚度不应超过 100mm。

4.4.4 捣打应从坯间接缝处开始,锤印宜重叠 2/3,行与行宜重叠 1/2,反复捣打 3 遍以上。捣固体应平整、密实、均一。捣固锤应采用橡胶锤头或金属锤头,捣锤风压不应小于 0.5MPa。

4.4.5 耐火可塑料施工宜连续进行。施工间歇时应用塑料布将捣打面覆盖。施工中断较长时应按施工缝的要求处理。施工缝应留在同一排锚固砖或吊挂砖的中心线处。继续捣打时应将已捣实的接槎面刮去 10mm～20mm,表面应刮毛。捣打面干燥太快时应喷雾状水润湿。

4.4.6 捣打炉墙和炉顶时,捣打方向应平行于受热面。捣打炉底时,捣打方向可垂直于受热面。

4.4.7 炉墙耐火可塑料应逐层铺排捣打,其施工面应保持同一高度。

4.4.8 烧嘴和孔洞下半圆应退台铺排耐火可塑料料坯,退台处应径向捣打。上半圆应在安设木模后按耐火砖砌拱方式铺排,并应沿切线方向捣打。合门处应留成楔形,填入耐火可塑料,并应按垂直方向分层捣实。

4.4.9 炉顶耐火可塑料可分段捣打。斜坡炉顶应由其下部转折处开始,达到约 600mm 后,才可拆下挡板捣打另一侧。

4.4.10 炉顶合门应选在水平炉顶段障碍物较少的位置。合门处应捣打成窄条倒梯形空档,宽度不应超过 600mm。合门口应捣打成漏斗状,并应尽量留小,分层铺料捣实。

4.4.11 安装锚固砖或吊挂砖前,应用与此砖同齿形的木模砖打入耐火可塑料,形成齿形后,再将锚固砖或吊挂砖嵌入固定。

4.4.12 耐火可塑料内衬的膨胀缝应按设计规定留设。炉墙膨胀缝、炉顶纵向膨胀缝的两侧应均匀捣打,膨胀缝应平直。炉墙与炉顶的交接处应留设水平膨胀缝与垂直膨胀缝。膨胀缝内应按规定填入材料。

4.4.13 **炉顶合门处模板必须在施工完毕经自然养护 24h 之后拆除。用热硬性耐火可塑料捣打的孔洞,其拱胎应在烘炉前拆除。**

4.4.14 耐火可塑料内衬受热面应开设 $\varphi 4mm \sim \varphi 6mm$ 的通气孔。孔的间距宜为 150mm~230mm,位置宜在两块锚固砖中间,深度宜为捣固体厚度的 1/2~2/3。

4.4.15 耐火可塑料内衬受热面的膨胀缝应按设计位置切割,宽度宜为 5mm,深度宜为 50mm~80mm。

4.4.16 耐火可塑料内衬的修整应在脱模后及时进行。修整前,锚固砖或吊挂砖端面周围的耐火可塑料应用木锤轻轻敲打。锚固砖或吊挂砖与耐火可塑料应咬合紧密。修整时,应以锚固砖或吊挂砖端面为基准削除多余部分,未削除的表面应刮毛。

4.4.17 耐火可塑料内衬修整后不能及时烘炉时,应用塑料布覆盖。

4.4.18 烘炉前耐火可塑料裂缝宽度在烧嘴、各孔洞处 1mm~3mm,高温或重要部位 1mm~5mm,其他部位 3mm~12mm 时,可在裂缝处喷洒雾状水润湿,用木锤轻敲使裂缝闭合,或填耐火泥浆、耐火可塑料、耐火陶瓷纤维。

4.4.19 耐火可塑料内衬裂缝宽度大于下列尺寸时应进行挖补:烧嘴、各孔洞处 3mm,高温或重要部位 5mm,其他部位 12mm。裂缝处应挖成里大外小的楔形口,表面应喷洒雾状水润湿后用耐火可塑料填实。

4.5 耐火捣打料

4.5.1 耐火捣打料捣打施工时应均匀铺料。用风动锤捣打时,应一锤压半锤,连续均匀逐层捣实。再次铺料前应将已捣实的耐火捣打料表面刮毛。风动锤的工作风压不应小于 0.5MPa。

4.5.2 炭素捣打料可采用冷捣法或热捣法施工。捣打前,应对与炭素捣打料相接触的表面进行干燥处理并清理干净。采用风动锤捣打时,每层铺料厚度不应超过 100mm。

4.5.3 每层炭素捣打料的捣实密度应按规定的体积密度或压缩比进行检查。压缩比宜为 40%~45%。

4.5.4 压缩比可按下式进行计算:

$$i = \Delta b / b \times 100\% \qquad (4.5.4)$$

式中:i——压缩比;

b——松铺厚度(mm);

Δb——压下量(mm)。

4.5.5 炭素料捣打中断后继续捣打时,捣固体表面应清扫、刮毛,并应涂刷相应的结合剂。

4.5.6 热捣炭素料捣打前应将炭素料破碎,并应均匀加热。加热温度应依结合剂的软化点、自然环境温度和加热方法而定。加热后的炭素捣打料中不应有硬块,料温不应低于 70℃。

4.5.7 捣打时宜用热锤,与炭素捣打料接触表面的温度应低于结合剂的软化温度。

4.5.8 用煤焦油、煤沥青作结合剂的镁砂或白云石质捣打料,应用热锤捣打。

4.6 耐火喷涂料

4.6.1 耐火喷涂料施工前,应按耐火喷涂料牌号规定的产品使用说明书试喷,确定合适的工艺参数。

4.6.2 喷涂前应检查金属支承件的位置、尺寸及焊接质量,并应清理干净。支承架上有龟甲网时,网与网之间应搭接 1 个格。重叠不应超过 3 层,绑扣应朝向非工作面。

4.6.3 半干法喷涂时,耐火喷涂料进入喷涂机之前,应加水润湿,搅拌均匀。

4.6.4 半干法喷涂时,耐火喷涂料和水或结合剂应均匀混合、连续喷涂。喷涂方向应垂直于受喷面,喷嘴离受喷面的距离宜为 1m～1.5m。喷嘴应不断地螺旋式移动。喷涂面上不得出现干料或流淌。

4.6.5 湿法喷涂时,应按耐火喷涂料的产品使用说明书加入水或结合剂搅拌均匀,不得有干粉或结块。

4.6.6 湿法喷涂时,泵送至枪头处的耐火喷涂料和促凝剂应均匀混合、连续喷涂。喷涂方向应垂直于受喷面,喷嘴离受喷面的距离宜为 300mm～500mm。喷嘴应连续均匀地直线移动。喷涂面上不得出现流淌或塌落。

4.6.7 大面积喷涂应分单元连续进行,且在本单元内应一次达到设计厚度。喷涂内衬厚度超过 300mm 需分层喷涂时,应在前层耐火喷涂料凝结前喷完次层。

4.6.8 施工中断时,宜将接槎处做成直槎。继续喷涂前应将喷涂层表面刮毛,并应用高压风将表面吹扫干净后加水润湿。

4.6.9 附着在支承件上或管道底的回弹料、散落料应及时清除,并不得回收作耐火喷涂料使用。

4.6.10 喷涂层厚度应及时检查,过厚部分应削平,表面应平整。喷涂层表面不得抹光。检查喷涂层密实度可用小锤轻轻敲打,发现空洞或夹层应及时处理。

4.6.11 喷涂完毕后应及时开设膨胀缝,可用 1mm～3mm 厚的楔形板压入 30mm～50mm 而成。

4.6.12 喷涂法施工较厚的内衬时,应先将锚固砖固定。喷涂时应避免因锚固砖的遮挡而形成死角。耐火喷涂料凝结之后,宜按本规范第 4.4.14 条和第 4.4.16 条的规定开设通气孔和修整。

4.6.13 耐火喷涂料的养护应按产品使用说明书执行。

4.7 耐火压浆料

4.7.1 搅拌机能力应与压浆机能力配套,压浆机上应安装金属过滤网。

4.7.2 耐火压浆料搅拌前,搅拌机具、料斗、称量容器应清洗干净,并应用少量结合剂对压浆机和管道进行循环清洗。

4.7.3 压浆短管应焊接牢固,位置准确。

4.7.4 耐火压浆料施工前,应按耐火压浆料牌号规定的产品使用说明书试压,确定合适的工艺参数。

4.7.5 耐火压浆料施工应连续进行。搅拌好的耐火压浆料应在初凝前施工完毕。已初凝的耐火压浆料不得使用。

4.7.6 压浆施工应按区域由下至上逐孔进行,不得漏压。

4.7.7 当满足下列条件之一时,应停止该压浆孔的施工:

   1 相邻压浆孔出浆;

   2 压浆孔周围的底板隆起 2mm 以上;

   3 压力软管的出口压力表读数超过 0.6MPa。

4.7.8 一个压浆孔施工停止后,应关闭截止阀。并应确定机侧压力回零后才能卸下喷嘴,进行下一个压浆孔的施工。

4.7.9 压浆施工完毕后应及时按区域检查。空隙部位应进行补压。

5 耐火陶瓷纤维

5.1 一般规定

5.1.1 耐火陶瓷纤维内衬所采用材料的技术指标与结构形式应符合设计规定。

5.1.2 耐火陶瓷纤维制品、锚固件及粘接剂应按现行标准及技术条件验收。

5.1.3 耐火陶瓷纤维制品不得受湿和挤压。

5.1.4 当切割耐火陶瓷纤维制品时,其切口应整齐。

5.1.5 粘接剂应密封保管,使用时应搅拌均匀。

5.1.6 粘贴施工时,粘贴面应清洁、干燥、平整。粘贴面均应涂刷粘接剂。不易浸润的耐火炉衬可先用稀释后的粘接剂涂刷表面。

5.1.7 耐火陶瓷纤维制品表面涂刷耐火涂料时,涂料应均匀、满布。多层涂刷时,前后层应交错。

5.1.8 在耐火陶瓷纤维内衬上施工不定形耐火材料时,耐火陶瓷纤维制品表面应做防水处理。

5.2 层铺式内衬

5.2.1 设于炉顶的锚固钉中心距宜为200mm～250mm,设于炉墙的锚固钉中心距宜为250mm～300mm。锚固钉与受热面耐火陶瓷纤维毯、毡或板边缘的距离宜为50mm～75mm,最大距离不应超过100mm。

5.2.2 锚固钉应在钢板上垂直焊牢,并应逐根锤击检查。当采用陶瓷杯或转卡垫圈固定耐火陶瓷纤维毯、毡或板时,锚固钉的断面排列方向应一致。

5.2.3 耐火陶瓷纤维毯、毡或板应铺设严密、紧贴炉壳。紧固锚固件时应松紧适度。

5.2.4 耐火陶瓷纤维毯、毡或板的铺设应减少接缝,各层间错缝不应小于100mm。隔热层耐火陶瓷纤维毯、毡或板可对缝连接。受热面层为耐火陶瓷纤维毯、毡或板时,接缝应搭接,搭接长度宜为100mm(图5.2.4)。搭接方向应顺气流方向,不得逆向。

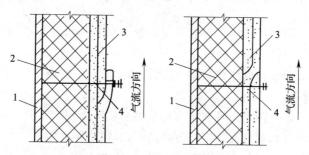

图 5.2.4　耐火陶瓷纤维毯、毡或板搭接
1—炉壳;2—隔热层;3—耐火陶瓷纤维毯、毡或板;4—锚固钉

5.2.5 耐火陶瓷纤维毯、毡在对接缝处应留有压缩余量(图5.2.5)。

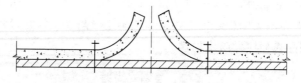

图 5.2.5　对接缝处压缩

注:当采用耐火陶瓷纤维毡时,压缩量不小于5mm;当采用耐火陶瓷纤维毯时,压缩量不小于10mm。

5.2.6 耐火陶瓷纤维毯、毡或板应按炉壳上孔洞及锚固钉的实际位置和尺寸下料,切口应略小于实际尺寸。

5.2.7 当锚固钉端部用陶瓷杯固定时,耐火陶瓷纤维毯、毡或板上的开孔应略小于陶瓷杯外形尺寸。每个陶瓷杯的拧进深度应相等,并应逐个检查。杯内应用与热面同材质的耐火填料塞紧。

5.2.8 当铺设炉顶的耐火陶瓷纤维毯、毡或板时,应用快速夹进行层间固定。

5.2.9 在炉墙转角或炉墙与炉顶、炉底相连处,耐火陶瓷纤维毯、毡或板应交错相接,不得内外通缝。耐火陶瓷纤维毯、毡或板与其他耐火炉衬的连接处不应出现直通缝。

5.2.10 金属锚固钉、垫圈等应采取保护措施。用耐火涂料覆盖时,应涂抹严密;用耐火陶瓷纤维块覆盖时,应粘贴牢固。

5.3 叠砌式内衬

5.3.1 每扎耐火陶瓷纤维毯、毡均应预压缩成制品,其压缩程度应相同,压缩率不应小于 15%。

5.3.2 支撑板、固定销钉应焊接牢固,并应逐根检查。墙上的支撑板应水平,销钉应垂直。

5.3.3 用销钉固定时,活动销钉应按设计规定的位置垂直插入耐火陶瓷纤维制品中,不得偏斜和遗漏(图 5.3.3)。

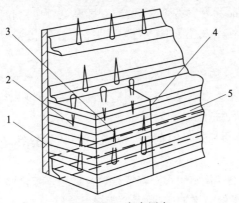

图 5.3.3 穿串固定

1—支撑板;2—活动销钉;3—固定销钉;4—接缝;5—耐火陶瓷纤维制品

5.3.4 用销钉固定后,耐火陶瓷纤维制品应与里层贴紧。耐火陶瓷纤维制品的接缝处均应挤紧。

5.3.5 粘贴法施工的耐火陶瓷纤维制品,可采用图 5.3.5 的方法排列。

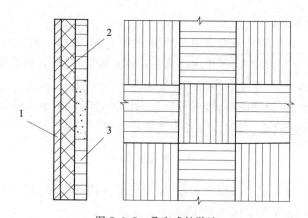

图 5.3.5　叠砌式粘贴法

1—炉壳;2—隔热层;3—耐火陶瓷纤维制品

5.3.6　粘贴法施工前,应在被粘贴的表面,按每扎的大小分格划线。耐火陶瓷纤维制品应粘贴平直、紧密。

5.3.7　粘贴耐火陶瓷纤维制品,粘接剂应涂抹均匀、饱满。耐火陶瓷纤维制品涂好粘接剂之后,应立即贴在预定的位置上,并应用木板压紧。粘贴及压紧时,不得推动已贴好的相邻耐火陶瓷纤维制品。

5.3.8　粘贴法施工时,粘接剂不得沾污炉管和其他金属件。当自下而上进行粘贴施工时,粘接剂不得沾污已贴好的耐火陶瓷纤维制品。

5.3.9　烧嘴、排烟口、孔洞等部位周边应用耐火陶瓷纤维条加粘接剂填实,不得松散和有间隙。填充用耐火陶瓷纤维条应与其周边垂直。

5.3.10　当设计规定耐火陶瓷纤维炉衬需用钢板网时,钢板网应焊接牢固。钢板网应平整,钢板网的钢板厚度宜为 1mm～1.5mm。

5.4　折叠式模块

5.4.1　折叠式模块应与焊在炉壳上的金属锚固件连接,固定在炉壳上。

5.4.2　折叠式模块的体积密度宜为 $190kg/m^3 \sim 220kg/m^3$。

5.4.3 折叠式模块常用的结构应为中心孔吊挂式结构(图 5.4.3)。

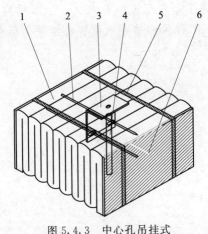

图 5.4.3 中心孔吊挂式

1—耐火陶瓷纤维毯;2—预埋销钉;

3—预埋锚固件;4—安装导管;5—捆扎带;6—捆扎板

5.4.4 锚固件的材质及结构应符合设计规定。

5.4.5 折叠式模块本身无预埋锚固件时,应用穿钉固定(图 5.4.5)。穿钉应垂直插入相邻的支撑板孔内。

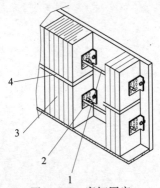

图 5.4.5 穿钉固定

1—穿钉;2—支撑板;3—折叠式模块;4—接缝耐火陶瓷纤维毯

5.4.6 折叠式模块沿折叠方向应顺次同向排列;非折叠方向或与其他耐火炉衬的连接处,均应铺设相同等级的耐火陶瓷纤维毯,耐火陶瓷纤维毯的压缩率不应小于 15%。顺次排列结构用于炉顶时,应用耐热合金 U 形钉将耐火陶瓷纤维毯与折叠式模块固定,U 形钉的间距宜为 600mm。

6 高炉及其附属设备

6.1 一 般 规 定

6.1.1 高炉及其附属设备各部位砌体砖缝的厚度应符合表6.1.1规定的数值。

表 6.1.1 高炉及其附属设备各部位砌体砖缝的厚度

项次	部 位 名 称	砌体砖缝的厚度(mm)≤
Ⅰ　高炉炭砖砌体		
1	炉底和炉缸： (1)垂直缝 湿砌 干砌 (2)水平缝 湿砌 干砌	 1.5 0.5 2 0.5
2	其他部位： (1)垂直缝 (2)水平缝	 2 2.5
3	炭砖的保护层(黏土耐火砖)	3
Ⅱ　磷酸盐泥浆砌筑的耐火砖砌体		
4	高炉炉底： (1)垂直缝 (2)水平缝	 2 2.5

项次	部 位 名 称	砌体砖缝的厚度(mm) ≤
Ⅱ 磷酸盐泥浆砌筑的耐火砖砌体		
5	高炉炉缸	2
6	高炉炉腹和炉腰	2.5
7	高炉炉身	3
8	热风炉炉墙、炉顶和拱	3
9	热风管道	3
Ⅲ 非磷酸盐泥浆砌筑的耐火砖砌体		
10	高炉炉身冷却板以上	2
11	高炉炉喉钢砖区	3
12	高炉炉顶	2
13	热风炉炉墙	2
14	热风炉炉底	2.5
15	煤气导出管和除尘器	2.5
Ⅳ 热风炉硅砖砌体		
16	炉墙、炉顶和拱	2

注:1 用磷酸盐泥浆砌筑时,高炉和热风炉的圆形砌体的环缝厚度可增大,但不
  应超过 5mm;

   2 用非磷酸盐泥浆砌筑时,所有部位的环缝厚度可增大,但增大值不应超过
   规定砖缝厚度的 50%;

   3 当炭砖外形尺寸允许偏差为±0.5mm 时,高炉炉底和炉缸砌体砖缝的厚度
   不应超过 1mm;

   4 用铝碳质或碳化硅质制品砌筑高炉炉腹、炉身时,砌体砖缝的厚度不应超
   过 2mm。

6.1.2 砌筑高炉及其附属设备的允许偏差应符合表 6.1.2 规定
的数值。

表 6.1.2 砌筑高炉及其附属设备的允许偏差

项次	偏差名称	允许偏差(mm)	
		炭砖砌体	其他耐火砖砌体
1	表面平整偏差(用2m靠尺检查,靠尺与砌体之间的间隙):		
	(1)高炉炉底底基,炉底各砖层和炉底最上层砌筑炉缸墙的部位		
	湿砌	2	5
	干砌	1	
	(2)高炉炉底底基和炉底各砖层上表面各点的相对标高差	5	8
	(用测量仪器检查)		
	(3)高炉炉底砖层表面的错牙		2
	(4)高炉炉缸各砖层		
	湿砌	2	5
	干砌	1	
	(5)高炉炉腹、炉腰和炉身各砖层	2	10
	(6)热风炉炉墙各砖层		10
	(7)热风炉炉顶下的炉墙上表面		5
	(8)热风管道砖内表面的错牙		3
2	半径偏差:		
	(1)高炉炉缸	±15	±15
	(2)高炉厚壁炉腰和炉身	±15	±15
	(3)热风炉无喷涂层的炉墙		±10
	(4)热风炉有喷涂层的炉墙		−5~10
	(5)内燃式热风炉燃烧室		±10
	(6)热风炉炉顶		
	①外燃式		−5~10
	②内燃式		±10
	③顶燃式		±15

项次	偏 差 名 称	允许偏差(mm)	
		炭砖砌体	其他耐火砖砌体
3	热风管道砌体的内径偏差: (1)有喷涂层 (2)无喷涂层		±10 ±15
4	垂直偏差: (1)高炉炉底的每块砖 (2)内燃式热风炉燃烧室墙 每米高 全高		2 5 30
5	膨胀缝的尺寸偏差: 热风炉和热风管道砌体 (1)膨胀缝≤20mm (2)膨胀缝>20mm		−1~2 ±10%

注:1　满铺炭砖炉底砌体(含其底基)的表面平整偏差,应用 3m 钢靠尺检查;

2　高炉、热风炉圆形砌体的径向倾斜度不应超过 5‰。

6.1.3　高炉、热风炉及其热风管各孔洞砌体宜用组合砖砌筑。组合砖砌体下的炉墙上表面标高允许偏差应为−5mm~0。

6.1.4　组合砖应在制造厂或组合砖加工厂内加工、组装。加工、组装后的组合砖应按顺序编号,并应记入组装图中。组合砖应采用集装箱方式包装、运输。

6.1.5　组合砖组装的允许偏差应符合表 6.1.5 规定的数值。

表 6.1.5 组合砖组装的允许偏差

项次	偏差名称	允许偏差(mm)
1	组装高度: (1)总高度≥2000mm (2)总高度<2000mm	±5 ±3
2	组装宽度: (1)总宽度≥1000mm (2)总宽度<1000mm	±10 ±5
3	层高	±1
4	孔径	±3
5	炉内半径	±5
6	砖缝	±1
7	错牙	2
8	放射缝偏离	1

注:高炉铁口组合砖组装的尺寸允许偏差应与炉缸炭砖砌体组装的尺寸允许偏差
一致。

6.2 高 炉

6.2.1 砌筑前应校核炉喉钢圈中心对炉底底基中心的位移。厚壁炉腰和炉身砌体的中心线应以炉喉钢圈中心为准。炉缸砌体的中心线应由测量确定,对炉身中心线的位移不应超过 30mm。炉底、炉缸砌体的标高应以出铁口中心或风口中心平均标高为基准。

6.2.2 冷却壁之间和冷却壁与出铁口框、风口和渣口大套之间的缝隙,应在砌砖前用填料填塞,其牌号和性能应符合设计规定。

6.2.3 高炉各部位炭素捣打料的施工应按本规范第 4.5 节的规定执行。当采用压缩比检查捣打料的捣实密度时,其压缩比为:炉底垫层不应小于 45%,砌体与冷却壁(或炉壳)之间的缝隙不应小于 40%。高炉热捣炭素料的加热温度不应超过 120℃。

6.2.4 设有冷却装置的炉底密封钢板表面,砌砖前应用炭素捣打料捣固或碳化硅质浇注料浇注并找平。其施工质量及表面平整偏差应记入验收记录中,并应附测量图。

6.2.5 炉底炭素捣打料或碳化硅质浇注料找平层宜采用扁钢隔板控制标高。炉底炭砖湿砌时,扁钢上表面标高允许偏差应为-2mm~0;炉底炭砖干砌时,扁钢上表面标高允许偏差应为-1mm~0。

Ⅰ 炭砖砌体

6.2.6 炭砖应在制造厂内预组装。预组装后的炭砖应按顺序编号,并应记入预组装图中。

6.2.7 满铺炭砖炉底上、下两层炭砖列的纵向中心线应交错成30°~60°,并均应与出铁口中心线交错成30°~60°。

6.2.8 砌筑满铺炭砖炉底时,炭砖列应保持平直,并应随时检查。炭砖湿砌时,炭砖列之间的垂直缝用千斤顶顶紧后,砖列端部应固定;炭砖干砌时,炭砖列之间的垂直缝用人工和木锤敲打顶紧后,砖列端部也应固定。

6.2.9 砌筑炭砖时,炭砖应用真空吸盘吊或吊装孔专用吊具吊装就位。

6.2.10 炉底环状炭砖与其他耐火砖砌体之间的厚缝尺寸宜为40mm~120mm。

6.2.11 环状炭砖的放射缝应与半径方向一致。砌体内上、下层的砖缝应交错。

6.2.12 炭素泥浆需加热时,应隔水加热。

6.2.13 炭砖砌体砖缝内的炭素泥浆均应饱满。砌筑时应用千斤顶使炭砖彼此靠紧。

6.2.14 捣打炭素料前,炭砖砌体与冷却壁(或炉壳)、其他耐火砖之间的缝隙均应用木楔固定。环状炭砖砌体与冷却壁(或炉壳)之间的炭素料,应在该环炭砖砌完后捣打。

6.2.15 炭砖砌体的上表面均应平整,并应按要求逐层检查,必要时应磨平。

6.2.16 炉缸的炭砖应从出铁口开始砌筑,并应保证出铁口通道的宽度尺寸。渣口区的炭砖可从渣口开始砌筑。

6.2.17 炭砖砌体的砖缝厚度应用塞尺检查。塞尺宽度应为30mm,厚度应等于被检查砖缝的规定厚度,其端部为直角形。当用塞尺插入砖缝的深度不超过 100mm 时,该砖缝可认为合格。

Ⅱ 其他耐火砖砌体

6.2.18 炉底、炉缸、炉腹、炉腰和炉身区域的砌体,当使用黏土质、高铝质和刚玉质耐火制品时,应采用相应的磷酸盐耐火泥浆砌筑。当使用铝碳质、碳化硅质或其他材质耐火制品时,应按设计规定采用相应的耐火泥浆砌筑。

6.2.19 炉底和炉缸的耐火砖(不包括保护层),施工前应认真选分与配层。

6.2.20 每层炉底均应从中心十字形开始砌筑,中心十字形炉底砖的纵向和横向砖列应相互垂直。

6.2.21 炉底采用沾浆法砌筑时,应做到稳沾、低靠、短拉、重揉。

6.2.22 上、下两层炉底的砌筑中心线应交错成 30°,并均应与出铁口中心线交错成 30°～60°。通过上、下层中心点的垂直缝不应重合。

6.2.23 在炉底施工过程中,应随时检查砖缝厚度、耐火泥浆饱满程度、各砖层上表面的平整偏差和表面各点相对标高差。

6.2.24 炉底砖层(除最上层外)上表面的错牙应磨平。磨平时不得将砖碰撞松动。

6.2.25 炉缸砌砖应从出铁口开始。砌出铁口时,出铁口框内的砌体应先砌。

6.2.26 在出铁口框和渣口大套外环宽 500mm 范围内的砌体以及风口带的砌体,均应紧靠冷却壁(或炉壳)砌筑。其间不严密处应用相应材质的稠耐火泥浆填充。

6.2.27 风口和渣口宜在水套安装完毕后砌筑。非组合砖砌体周围的砌体除顶部可侧砌外,其余部分应平砌,靠近水套的砖应加工。砌体与风口、渣口水套之间的缝隙不应小于 15mm。

6.2.28 炉底、炉缸采用陶瓷杯和环状炭砖混合结构时,对于大型预制块陶瓷杯,应先砌筑陶瓷杯,环状炭砖经现场预砌后再砌筑;对于小块砖陶瓷杯,应先砌筑炭砖,后砌筑陶瓷杯。

6.2.29 环形底垫砌筑前应先放好控制线。环形底垫由外向中心砌筑时,各环砖合门处应留成外大内小的喇叭口,待中心座砖砌完后,应再由内向外逐环合门。

6.2.30 陶瓷杯壁大型砌块宜采用专用器具吊装就位,经检查合格后,应及时用相应的耐火浇注料填充吊装孔。

6.2.31 砌筑陶瓷杯壁时,应严格控制砌块的水平度和垂直度,经常检查杯壁的砌筑半径,可利用干摆和微调砌筑半径的方法砌筑合门砖。

6.2.32 高炉圆形砌体不应同时有三层以上的退台。在同一层内,每环合门不应超过 4 处,并应均匀分布。

6.2.33 砌筑厚壁炉腰和炉身时,应通过炉喉钢圈中心挂设中心线,并应随时检查砌体的半径尺寸。当厚壁炉腰和炉身的炉壳内表面有喷涂层时,应以炉壳为导面喷涂。喷涂层厚度的允许偏差应为±5mm。

6.2.34 冷却板应在砌砖前安装。每层冷却板之间的砌体宜预加工。冷却板周围一块砖应紧靠炉壳砌筑,不应留填料缝。

6.2.35 高炉冷却壁与炉壳之间应压浆,其成分与配比应符合设计规定。

6.2.36 炉身砌体与钢砖底部之间的缝隙应为 50mm～120mm。当设计没有规定时,缝内应填以黏土质耐火填料。

6.3 热 风 炉

I 底 和 墙

6.3.1 安排热风炉组的砌筑顺序时,应防止基础的不均匀下沉。

6.3.2 砌筑热风炉的内衬前,应校核炉壳中心线的垂直偏差。炉壳内表面有喷涂层时,应根据各段炉壳的检查记录选定喷涂层中心线。喷涂层半径的允许偏差应为 0~10mm。

6.3.3 有喷涂层的热风炉蓄热室、燃烧室和混合室的炉墙,均应挂中心线控制半径砌筑。无喷涂层的内燃式热风炉围墙应以炉壳为导面砌筑,并应随时用样板检查砌体的厚度,其允许偏差应为 ±15mm。燃烧室墙应按中心线砌筑。

6.3.4 热风炉上部各段炉墙间的垂直滑动缝均应按设计规定留设。每层托砖板上的炉墙第一层砖应找平。

6.3.5 炉墙隔热层的填料应及时填充。填料顶面低于砌体表面的距离不应超过 500mm。隔热层应每隔 2m~2.5m 平砌两层隔热砖。

6.3.6 热风口及其以上各口与水平管的内衬连接处均应砌成上下直缝,并应仔细加工砖。

6.3.7 热风口、燃烧口和炉顶连接管口等周围环宽 1m 范围内,高铝砖(或黏土耐火砖、硅砖)均应紧靠炉壳(或喷涂层)砌筑。其间不严密处应用相应材质的稠耐火泥浆填充。

6.3.8 内燃式热风炉圆形燃烧室墙与围墙之间应按设计规定留设膨胀缝,缝内应充填瓦楞纸或发泡苯乙烯等易燃物质。

6.3.9 热风炉炉墙高温区采用硅砖砌筑时,应按设计规定在砌体的放射缝和环缝处留设膨胀缝。缝内应充填发泡苯乙烯等易燃物质。

6.3.10 陶瓷燃烧器可用组合砖或预制块砌筑。使用预制块时,应进行预砌筑。砌筑时,组合砖或预制块和各孔的位置应准确。砌体砖缝内的耐火泥浆应饱满,其表面应勾缝严密。

Ⅱ 砖 格 子

6.3.11 砌筑砖格子以前,必须检查炉算子和支柱。用拉线法检查时,炉算子上表面的表面平整偏差应为 0~5mm。炉算子格孔中心线与设计位置的允许偏差应为 0~3mm。

6.3.12 格子砖的外形尺寸偏差应按现行行业标准《热风炉用高

铝砖》YB/T 5016 的有关规定验收。施工前应根据格子砖尺寸的抽查记录确定使用方案。上、下带沟舌的多孔格子砖应按高度选分配层。

6.3.13 蓄热室中心点上的格孔应作为确定各层砖格子水平十字中心线控制线的基准,每层格子砖均应按此水平十字中心线砌筑,并应保持格孔垂直。砖格子施工中,可同时用木比尺控制砖格子。施工中应在四周炉墙内面做好中心控制线。上、下两层砖格子间的错位不应超过 5mm。

6.3.14 第一层砖格子表面应平整。砖格孔对炉算子格孔的位移不应超过 10mm,并应清点完整格孔数和填写隐蔽工程记录。

6.3.15 四周砖格子与炉墙间应按设计规定留设膨胀缝,并应用木楔固定。

6.3.16 施工中应采取防垢措施,不得堵塞格孔。砖格子砌筑完毕后,应进行最后清扫,并应检查格孔。如果电灯的亮光能透过格孔,或者用绳子从上面放下的检查钢钎能通过格孔的全高,应认为该格孔合格。堵塞格孔的数量不应超过第一层砖格子完整格孔数量的 3%。采用上、下带沟舌的多孔格子砖砌筑时,砖格子的堵孔率可不作为检查项目。

6.3.17 砖格子采用上、下带沟舌的多孔格子砖时,上、下层应错缝砌筑,砖与砖之间应按设计规定留设膨胀缝。四周格子砖宜预加工,并应按顺序编号绘制排列图。

Ⅲ 炉 顶

6.3.18 砌砖前,应按炉顶孔的中心和标高确定球形拱顶砌砖(或喷涂层)的中心线。在外燃式热风炉中,宜按两个球体的中心及连接管钢壳中心确定连接管砌砖(或喷涂层)的中心线。

6.3.19 砌砖前应检查固定圈的安装质量,拱脚砖应紧靠固定圈砌筑。

6.3.20 炉顶下的炉墙上表面应按本规范表 6.1.2 的规定找平。

6.3.21 顶燃式热风炉炉顶燃烧器及其环道砌筑时,应以炉顶中心线为基准,逐环控制半径和环道宽度尺寸。砌筑时应先砌外环工作层耐火砖,后砌内环砖,内外环应交替砌筑。炉顶燃烧器各处不锈钢板应铺设准确。

6.3.22 热风炉炉顶应预砌筑。

6.3.23 外燃式热风炉球形拱顶与连接管的交接部位宜采用组合砖。不采用组合砖时,应预砌筑。砌筑时,该交接部位应先砌。

6.3.24 炉顶高铝质(或黏土质)塞头砖及其外围 1 环~2 环炉顶部位(含四周盖砖),宜用高温性能良好的耐火浇注料现场浇注。

6.4 热风管道

6.4.1 热风管道应以管道底部纵向中心线为基准摞底砌筑。

6.4.2 热风管道内有喷涂层时,宜支设中心支架,用半径轮杆找圆。下半圆耐火砖应以喷涂层为导面砌筑。无喷涂层时,下半圆耐火砖应以管壳为导面砌筑。热风管道上半圆耐火砖支设拱胎拖胎砌筑时,拱胎长度宜为 500mm~700mm;上半圆耐火砖不支设拱胎砌筑时,可用竹篾片等作支撑砌筑。

6.4.3 热风管道三叉口采用组合砖(或吊挂平拱)结构时,应先砌筑组合砖(或吊挂平拱),后砌筑其他管道砖。

6.4.4 热风围管耐火砖砌成多边形时,接头处对嘴砖应加工砌筑;砌成圆环形时,同层砖与砖之间的梯形垂直缝应均匀,梯形砖缝厚度应由设计确定。

7 焦炉及干熄焦设备

7.1 焦 炉

7.1.1 砌筑焦炉的允许偏差应符合表 7.1.1 规定的数值。

表 7.1.1 砌筑焦炉的允许偏差

项次	偏 差 名 称	允许偏差（mm）
1	线尺寸偏差：	
	(1)主轴线、正面线和边炭化室中心线的测量	±1
	(2)标板和标杆上的划线尺寸	±1
	(3)小烟道（含承插口高度）和蓄热室宽度	±4
	(4)蓄热室炉头、斜烟道炉头和炭化室炉头肩部脱离正面线	±3
	(5)斜烟道口的宽度和长度	±2
	(6)斜烟道出口处的宽度	±1
	(7)相邻立火道、斜烟道口、焦炉煤气道和看火孔的中心线间的间距及各孔道中心线与焦炉纵中心线的间距	±3
	(8)炭化室宽度	±3
	(9)保护板砖座到炭化室底的距离	0～3
	(10)炭化室机、焦侧跨顶砖（含其上部与保护板接触的砌体）与炉肩正面差	−5～0
	(11)装煤孔（或除尘孔）和上升管孔的中心线与焦炉纵中心线的间距	±3
2	标高偏差：	
	(1)主要部位标高控制点的测量	±1
	(2)基础平台普通黏土砖（或隔热砖）砌体顶面	±5
	(3)喷嘴板座	±4
	(4)蓄热室墙顶	±4
	(5)炭化室底	±3

项次	偏 差 名 称	允许偏差(mm)
2	(6)炭化室墙顶	±5
	(7)炉顶表面	±6
	(8)基础平台普通黏土砖(或隔热砖)砌体顶面相邻测点间(间距 1m~1.5m)的标高差	5
	(9)相邻蓄热室墙顶的标高差	3
	(10)斜烟道在蓄热室顶盖下一层相邻墙顶的标高差	2
	(11)相邻水平煤气道砖座的标高差	2
	(12)相邻燃烧室保护板砖座的标高差	2
	(13)相邻炭化室底的标高差	3
	(14)相邻炭化室墙顶的标高差	3
3	表面平整偏差(用 2m 靠尺检查,靠尺与砌体之间的间隙):	
	(1)蓄热室墙	5
	(2)蓄热室炉头正面	5
	(3)炭化室底	3
	(4)炭化室墙	3
	(5)炭化室炉头肩部	3
4	垂直偏差:	
	(1)蓄热室墙	5
	(2)蓄热室墙炉头正面	5
	(3)炭化室墙	4
	(4)炭化室墙炉头肩部	4
5	炭化室墙和炭化室底的表面错牙(不得有逆向错牙)	1
6	膨胀缝的尺寸偏差:	
	(1)一般膨胀缝	−1~2
	(2)炉端墙的宽膨胀缝	±4
7	砖缝厚度的偏差:	
	(1)一般砖缝	−1~2
	(2)炭化室墙面砖缝	±1

注:当设计规定砖缝为 5mm 时,最小的砖缝厚度不应小于 3mm。

7.1.2 焦炉砌筑应在工作棚内进行。工作棚尺寸应满足安装作业平台和护炉设备的要求。

7.1.3 同一座焦炉应采用化学成分和物理性能相接近的、同一个耐火材料厂的硅砖及半硅砖。

7.1.4 焦炉炉体异形砖的外形和尺寸应进行检查和验收。对外形和尺寸虽符合国家标准，但达不到砌筑质量要求的各型砖，应进行配砖或另行加工处理。

7.1.5 焦炉各部位有代表性的砖层和炉顶的复杂部位应进行预砌筑。

7.1.6 砌筑炉体以前，应取得基础平台和抵抗墙的质量合格证书。

7.1.7 炉体应在正面线，纵、横中心线和标高测量放线完毕，水平标板和标高控制设施设置完毕，并应经检查合格后开始砌筑。蓄热室墙和炭化室墙的正面线和标高可采用逐墙分段测量放线的方法控制。

7.1.8 砌筑焦炉应采用两面打灰挤浆法。对少量由于砖型结构限制，无法用挤浆法砌筑的耐火砖，应加强勾缝工作。

7.1.9 所有砖缝均应耐火泥浆饱满和严密。无法用挤浆法砌筑的砖，其垂直缝的耐火泥浆饱满度不应小于95%。砌筑过程中必须勾缝，隐蔽砖缝应在砌筑上一层砖以前勾好，墙面砖缝必须在砌砖的当班勾好。蓄热室和炭化室的墙面砖缝应在最终清扫后进行复查，对不饱满的砖缝应予以补勾。

7.1.10 对于异形硅砖和施工中断一昼夜再砌筑的砌体，表面可用水稍加润湿，但不得大量洒水。

7.1.11 耐火泥浆干涸后，不得敲打砌体。

7.1.12 膨胀缝应保持均匀、平直和清洁。炉体正面的膨胀缝应用耐火陶瓷纤维等材料塞紧密封。膨胀缝之间的滑动缝应仔细留设。

7.1.13 砌筑宽度 6mm 以上的膨胀缝应使用样板，6mm 以下的膨胀缝应在砌筑时夹入厚度相当的填充材料,6mm以上膨胀缝的填充材料可采用发泡苯乙烯板。膨胀缝内不得有杂物。

7.1.14 砌筑小烟道第一层、箅子砖、斜烟道各层、燃烧室第一层、立火道封顶和炭化室顶盖砖以前,应干排验缝。炭化室第一层砖的砌筑应在炭化室底正确划线,并应经检查合格后进行。

7.1.15 焦炉砌筑采用逐层划排砖线的方法砌筑时,施工顺序应为:划排砖线、配砖、砌筑、勾缝、清扫和检查验收。

7.1.16 砌筑箅子砖、燃烧室顶盖砖以及其他砌完后无法清扫的部位时,应随即清除其下部挤出的耐火泥浆。

7.1.17 砌筑蓄热室、斜烟道和炭化室墙时,应经常清扫焦炉煤气道,并应采取防止堵塞的有效措施。砌筑蓄热室、斜烟道的焦炉煤气管砖时,应逐层检查,控制管砖的标高。

7.1.18 砌筑焦炉煤气道、斜烟道口、看火孔、上升管孔和装煤孔(或除尘孔)时,应用刻有孔道中心线和尺寸的标板检查各孔道中心线之间及各孔道中心线与焦炉纵中心线之间的距离。

7.1.19 砌筑焦炉时应采取保护措施,不得损坏箅子砖、分格式蓄热室格子砖、立火道和炭化室底等处的砌体。

7.1.20 焦炉砌体应均衡向上砌筑。

Ⅰ 蓄 热 室

7.1.21 砌筑滑动层上的小烟道墙时,应防止小烟道墙发生位移。

7.1.22 箅子砖应按箅孔的实际尺寸确定其排列顺序。

7.1.23 砌筑箅子砖或格子砖的底座砖时,放置格子砖的砖台顶面应保持平整。当格子砖底为喷嘴板时,喷嘴板底座砖的上表面应平整,不得有逆向错台。

7.1.24 蓄热室底部两层石墨板应错缝铺设。

7.1.25 蓄热室半硅砖与硅砖之间的滑动层应随砌筑随铺设。第一层铝箔铺设完后应刷石墨,再铺第二层铝箔,上部砌筑应在裁出煤气管孔后进行。

7.1.26 砌筑蓄热室墙及蓄热室顶盖以下砌体时,应按规定经常检查相邻墙的标高差。

7.1.27 当分格式蓄热室焦炉炉墙与格子砖交替砌筑时,应采用吸尘器逐层清扫,并应采取保证砌体清洁和所有孔道畅通的措施。

7.1.28 蓄热室格子砖应在炉体内部彻底清扫和蓄热室顶盖二次勾缝后砌筑。格子砖应码放整齐。

Ⅱ　斜　烟　道

7.1.29 砌筑斜烟道时应逐层勾缝清扫,并应进行检查。下层砖未经检查合格,不得砌筑上一层砖。砌筑过程中应随时用靠尺检查砌体上表面的平整度。

7.1.30 砌筑斜烟道时应随时检查斜烟道孔的横向尺寸。斜烟道孔的内表面应保持平整。

7.1.31 砌筑蓄热室顶盖以下各层斜烟道砖时应防止砌体松动。在砌筑分格式蓄热室顶盖砖时,应清除格子砖上的保护设施。

7.1.32 保护板砖座的顶面应保持平直。斜烟道正面形成炭化室墙炉头的砌体应符合炭化室墙的质量标准。

7.1.33 砌筑炭化室墙以前,应在斜烟道保护板砖座上安设横列标板,并应采取控制炭化室墙标高的措施。

Ⅲ　炭化室、燃烧室

7.1.34 焦炉煤气道的出口应在炭化室墙砌至出口高度、煤气道经清扫并检查合格后方可密封。

7.1.35 立火道、水平烟道、斜烟道口和看火孔内侧的砖缝应随砌随勾缝。

7.1.36 砌筑炭化室墙时,应保持脚手板处和燃烧室隔墙砖换号处墙面的平整。

7.1.37 砌筑炭化室墙直缝炉头时,应采取措施防止炉头砌体向外倾倒。

7.1.38 砌筑立火道气道出口过顶砖前,应清扫立火道,并应经检查合格。

Ⅳ 炉 顶

7.1.39 炭化室跨顶砖除长度方向的端面外,其他面均不得加工。跨顶砖的工作面不得有横向裂纹。

7.1.40 在烘炉前、炉顶清扫完毕后,应捅穿看火孔处的滑动层。

7.1.41 烘炉通道的宽度尺寸不宜砌成负偏差,其底面应平整。

7.1.42 砌筑看火孔墙的顶层砖之前,应先镶砌看火孔铁件。

7.1.43 砌筑炉顶普通黏土砖和隔热砖时,不得采用灌浆的方法。

7.1.44 分格式蓄热室炉墙和格子砖同步砌筑的炉顶砌完后,应取出立火道内的保护设施,进行最后的吸尘清扫,并应经检查合格后盖好看火孔盖。

Ⅴ 烘炉前后的工作

7.1.45 炉体砌完后应顺次彻底清扫其内部,并应对漏勾和松动的砖缝进行补勾。清扫工具宜采用工业吸尘器。

7.1.46 干燥床底部的垫层材料应采用干燥、洁净的石英砂或硅砖颗粒。

7.1.47 烘炉温度达到180℃和炉顶看火孔压力转为正压时,可拆除工作棚。雨季炉温达到250℃～300℃才可拆棚。拆棚前应在保护板顶部做好防水覆盖层。

7.1.48 烘炉前和烘炉过程中,应做好所有密封工作,并应检查合格。

7.1.49 小烟道承插口与单叉部之间、废气阀与座砖之间的缝隙在烘炉前应临时密封,不得固定。

7.1.50 对烘炉过程中形成的炉顶裂缝,应在烘炉温度达到600℃以后灌浆。

7.1.51 当烘炉温度达到600℃后,应进行炉顶横拉条沟的热态工作。填充隔热材料应与拆木垫、调弹簧的工作相协调。

7.1.52 保护板与炉头间缝隙的灌浆应在横拉条沟隔热材料填充完毕,烘炉温度达到750℃后进行。保护板的灌浆应分段进行。当炉头正面镶砌硅砖以外的其他砖种时,灌浆工作可在650℃以后进行。

7.1.53 同一炭化室的机、焦侧干燥床和封墙不得同时拆除。

7.2 干熄焦设备

Ⅰ 熄 焦 室

7.2.1 砌筑熄焦室的允许偏差应符合表 7.2.1 规定的数值。

表 7.2.1　砌筑熄焦室的允许偏差

项次	偏 差 名 称	允许偏差(mm)
1	线尺寸偏差： (1)预存段筒身砌体半径	±10
	(2)预存段锥体砌体半径	±15
	(3)进料口半径	−3～0
	(4)环形风道的宽度	±10
	(5)调节孔	
	长度	±10
	宽度	±6
	(6)γ射线孔	
	孔的上下表面距孔中心	±1.5
	孔的两侧表面距孔中心	±1
	(7)通风孔	
	孔的内表面距孔中心	±5
	孔中心与风管中心的高向间距	±10
	(8)测温孔的底面和两侧面距孔中心	±5
	(9)预存段锥体部位的喷涂层厚度	0～10
2	标高偏差： (1)冷却段墙顶面	±5
	(2)斜风道隔墙顶面	±2
	(3)下部调节孔上表面	±3
	(4)预存段砌体滑动层	±3
	(5)预存段砌体顶面	±5
	(6)通风孔底面	±5
	(7)进料口上表面	−3～0

项次	偏 差 名 称	允许偏差(mm)
3	膨胀缝的尺寸偏差: (1)预存段托砖板部位的水平膨胀缝 (2)预存段上部的放射形膨胀缝 (3)进料口砌体与炉壳之间的膨胀缝	0～10 0～2 0～3
4	砖缝厚度的偏差: (1)水平缝和放射缝 (2)环缝	−1～2 −2～4

7.2.2 熄焦室砌体的异形耐火砖的外形和尺寸应进行检查和验收。

7.2.3 斜风道和环形风道开口部位的砌体应预砌筑。

7.2.4 砌筑熄焦室前,应校核炉体中心、各主要部位的标高控制点和半径尺寸。

7.2.5 砖层高度应根据炉壳校核所得各主要部位标高偏差的平均值,结合耐火砖的尺寸偏差确定。

7.2.6 托砖板上的第一层耐火砖表面应找平。

7.2.7 冷却段砌体应以炉壳为导面砌筑,墙顶应和上部砌体相吻合。

7.2.8 熄焦室开口部位和以炉体中心为基准砌筑的部位,当炉壳局部变形较大,隔热砖和耐火砖之间的间隙小于 10mm 时,应填充耐火泥浆;间隙大于 10mm 时,应填充耐火浇注料。

7.2.9 砌筑有耐火陶瓷纤维制品隔热层的部位时,应先将耐火陶瓷纤维毡粘贴在炉壳表面,再砌隔热砖。隔热砖不得紧压耐火陶瓷纤维毡。隔热砖与耐火陶瓷纤维毡之间不得填充耐火泥浆。

7.2.10 斜风道、预存段的砌体应以炉体中心为基准砌筑。

7.2.11 斜风道部位的隔热砖与炉壳之间的耐火浇注料应逐层填充捣实。

7.2.12 斜风道的分格墙应以刻划在炉壳表面上的分格墙中心线和炉体中心的连线为基准砌筑。分格墙砖不得向下倾斜。斜风道顶盖砖应采用支承架砌筑。

7.2.13 开口部位的拱及拱顶槎子砖砌筑时,应按预砌筑编号砌筑,并应严格控制槎子砖的顶面平整度及墙面半径。

7.2.14 砌筑上部调节孔时,孔洞中心应和下部调节孔中心一致。调节孔顶部的钢盖板应按孔的实际位置焊接。

7.2.15 砌筑预存段上部砌体表面的水平膨胀缝时应垫木楔,砌体不得下沉。

7.2.16 预存段上部锥体的轻质隔热耐火浇注料应逐层填充密实。

7.2.17 上、下相邻水平膨胀缝之间的环缝不得填充耐火泥浆。

Ⅱ 一次除尘器

7.2.18 砌筑一次除尘器的允许偏差应符合表 7.2.18 规定的数值。

表 7.2.18 砌筑一次除尘器的允许偏差

项次	偏 差 名 称	允许偏差(mm)
1	线尺寸偏差: 墙边到炉中心线间距	±5
2	表面平整偏差(用 2m 靠尺检查,靠尺与砌体之间的间隙): 墙面	5
3	标高偏差: 拱脚	±3
4	垂直偏差: 墙面 每米高 全高	 3 15

项次	偏 差 名 称	允许偏差(mm)
5	膨胀缝的尺寸偏差:	
	(1)拱顶的膨胀缝	−2~4
	(2)拱与炉墙之间的膨胀缝	−3~5
	(3)拱脚砖托板与炉墙之间的膨胀缝	−2~5
	(4)隔墙与拱顶之间的膨胀缝	−2~5
	(5)隔墙上的膨胀缝	−1~2
	(6)伸缩节两侧的膨胀缝	−2~3
	(7)伸缩节中间的膨胀缝	−2~3
	(8)炉墙与托砖板之间的水平膨胀缝	±2
6	砖缝厚度的偏差:	
	(1)墙、底砖缝	−1~2
	(2)拱顶环缝	±2

7.2.19 砌筑内衬前,应校核炉壳中心线及各层托砖板标高,并应检查托砖板之间的间距及水平度。

7.2.20 内衬墙体应在伸缩节安装就位、经校核合格后,以纵、横中心线为基准定位放线。

7.2.21 砌筑隔热砖前,应在炉壳上划出炉底标高线、膨胀缝位置线及上、下隔墙位置线,并应经检查无误后才可砌筑。

7.2.22 排灰口分隔墙砌体应插入前、后斜墙砌体内。

7.2.23 当设计有隔墙时,上、下隔墙在找平隔墙拱顶后,其插入炉体直墙部分的砌体应留槎,并应与直墙同时砌筑到设计标高。

7.2.24 在托砖板位置,托砖板与下部砌体以及上、下部砌体之间的水平膨胀缝,应在该层耐火砖砌完、清扫、检查合格后填入耐火陶瓷纤维毡。表面水平膨胀缝应在炉墙全部砌完,并应经检查合格后填入耐火陶瓷纤维等材料。

7.2.25 拱脚砖应紧靠炉壳砌筑。当拱脚砖与炉壳之间的间隙小于 6mm 时,可采用黏土质耐火泥浆填充;间隙大于 6mm 时,应采用黏土质耐火浇注料填充。

7.2.26 拱顶宜从熄焦室侧及锅炉侧向蒸汽放散孔部位砌筑。蒸汽放散孔宜采用组合砖砌筑。

Ⅲ 二次除尘器

7.2.27 砌筑二次除尘器的允许偏差应符合表 7.2.27 规定的数值。

表 7.2.27 砌筑二次除尘器的允许偏差

项次	偏差名称	允许偏差(mm)
1	砖缝厚度的偏差	−1~4
2	内径偏差	±10
3	表面平整偏差(用 2m 靠尺检查,靠尺与砌体之间的间隙)	5

7.2.28 砌筑二次除尘器之前,应校核炉壳半径尺寸及各段托圈之间的间距和水平度。

7.2.29 二次除尘器炉壳内托圈及金属网应在铸石板砌筑前全部焊接完毕,并应将炉壳内表面的铁锈及金属网焊渣等杂质清除干净。

7.2.30 二次除尘器应以炉壳为导面砌筑。

7.2.31 托圈上第一层铸石板砌筑前应干排验缝。

7.2.32 铸石板砌筑时应用木锤或橡胶锤找正,不得使用铁锤。

7.2.33 铸石板的砌筑应采用嵌挂法或埋入法。

8 炼钢炉及相关设备

8.1 一般规定

8.1.1 转炉、电炉、混铁炉和混铁车应在炉壳安装和试运转合格后砌筑。砌筑应在炉子的正常位置进行。

8.1.2 砌筑前应固定转动装置,其电源必须切断。

8.1.3 转炉、电炉、RH 精炼炉、混铁炉、混铁车和钢水罐各部位砌体砖缝的厚度应符合表 8.1.3 规定的数值。

表 8.1.3 转炉、电炉、RH 精炼炉、混铁炉、混铁车
和钢水罐各部位砌体砖缝的厚度

项次	部 位 名 称	砌体砖缝的厚度(mm)≤
Ⅰ 转炉		
1	工作层	2
2	永久层	2
3	其他	3
4	供气砖与周边砖层	2
Ⅱ 电炉		
5	炉底、炉墙: (1)工作层 (2)永久层	1 2
6	炉盖: (1)干砌 (2)湿砌	1.5 2
Ⅲ RH 精炼炉		
7	工作层	1

项次	部 位 名 称	砌体砖缝的厚度(mm)≤
Ⅲ RH 精炼炉		
8	永久层： (1)高铝砖 (2)轻质黏土砖	2 3
9	插入管、循环管及其对接缝	1
Ⅳ 混铁炉		
10	炉底、炉墙： 铁水面以下 (1)工作层 干砌 湿砌 (2)永久层 铁水面以上： (1)工作层 (2)永久层	1 2 2 2 3
11	炉顶： (1)工作层 (2)永久层	2 3
Ⅴ 混铁车		
12	工作层	2
13	永久层	3
Ⅵ 钢水罐		
14	工作层	2
15	永久层： (1)垂直缝 (2)水平缝	2 3
16	水口砖、透气砖	1.5

8.2 转 炉

8.2.1 炉体永久层应以炉壳为导面砌筑。炉壳的尺寸允许偏差应符合设计规定。

8.2.2 炉底应从炉子中心按十字形对称砌筑,上、下层砖的纵向长缝应交错30°～60°。最上层炉底砖的纵向长缝应与出钢口中心线成一交角,通过上、下层中心点的垂直缝不应重合。炉底的最上层砖应竖砌。

8.2.3 当炉底采用同心圆环砌筑时,上、下层砖缝应错开。

8.2.4 当炉底采用耐火捣打料施工时,应按本规范第4.5节的规定执行。

8.2.5 反拱底与炉身的接触面应保持水平,并应符合设计标高。

8.2.6 内衬应错缝干砌,砖缝内应填满相应的耐火粉。退台应均匀,退台宽度不宜超过40mm。每层砖应按规定留设膨胀缝。

8.2.7 合门砖宜砌筑在易补炉侧,应在出钢口中心线垂线左右15°以外。合门砖不得有裂纹,加工后的合门砖宽度不应小于原砖宽度的2/3。上、下层合门砖应错开1块～2块砖。永久层和工作层间的填料应及时填实。

8.2.8 砌筑带托砖板的炉身时,应检查托砖板的安装质量和平整度。大型转炉炉壳中部和上部的托砖板,应按永久层的实际砖层高度焊接。砌筑托砖板上第一层砖时,砖层表面应保持水平,不得向炉内倾斜。

8.2.9 砌筑炉帽锥体部位时,未合门的砖层不应超过3层。

8.2.10 出钢口的位置应符合设计规定的角度。出钢口砌体与出钢口钢壳间、出钢口工作层套筒砖和永久层砖间应按设计规定填入耐火捣打料并捣实。

8.2.11 活炉底与炉身的接缝处的施工必须符合下列规定:

　1 活炉底水平接缝处,里(靠工作面)、外(靠炉壳)应用稠的镁质耐火泥浆,中间应用与炉衬材质相应的材料铺填平整均匀。

2 炉身必须放正,炉底必须放平,必须试装加压,经检查合格后,才可正式上炉底。

3 安装活炉底时,应将炉底和炉身顶紧。接缝时必须将所有的销钉敲紧,并应将销钉焊接牢固。

4 活炉底垂直接缝时,在炉底对接完后,必须将接缝内的填料捣实。

5 接缝料未硬化前,炉体不得倾动。

8.2.12 砌完后的内衬不得受潮。

8.3 电 炉

8.3.1 炉底应错缝干砌,砖缝内应填满相应的耐火粉。上、下层砖的纵向长缝应交错 30°~60°。炉底的最上层砖应竖砌。

8.3.2 直流电弧炉的炉底不应留设水平、垂直方向的膨胀缝。其他部位应按规定留设膨胀缝。

8.3.3 炉底条形电极安装应垂直,其全高的垂直允许偏差应为 0~1mm。

8.3.4 条形电极外层屏蔽砖的砖缝厚度不应超过 0.5mm。两层屏蔽砖之间的粘接剂应涂抹均匀,上、下层屏蔽砖应紧密结合。

8.3.5 屏蔽砖与条形电极之间应紧密结合。

8.3.6 炉底阴极捣打应支模。与条形电极屏蔽砖接触部位应精细施工,屏蔽砖凹槽部位耐火捣打料应密实,接合应紧密。耐火捣打料的施工应按本规范第 4.5 节的规定执行。

8.3.7 出渣孔砖应与渣孔套环同步砌筑。出渣孔砖与套环砖之间应按设计规定留设间隙。待炉底工作层捣打完毕后,应用耐火捣打料将间隙填满并捣实。

8.3.8 出渣孔内壁应保持平整,环缝厚度不应超过 1mm。

8.3.9 炉底工作层干式料应分层捣打,每次铺料厚度不应超过 200mm。捣打过程中应用样板控制炉形。

8.3.10 出钢口应仔细砌筑和捣打,并应符合设计角度。

8.3.11 砌筑炉盖时,炉盖圈应放平。炉盖砖应错缝砌筑,四周的耐火砖应靠紧炉盖圈。

8.3.12 炉顶使用耐火浇注料预制件时,预制件的码放、起吊、吊运和砌筑应按本规范第4.3.14条~第4.3.18条的规定执行。

8.3.13 电极口及其周围的砌体应仔细加工砌筑,电极口砖圈的直径应符合设计规定。各电极口中心之间距离的允许偏差应为±5mm。

8.3.14 炉墙合门砖应砌筑在渣口两侧1m~2m范围内,上、下层合门砖应错开4块~5块砖。加工后的合门砖宽度不应小于原砖宽度的2/3。

8.3.15 使用干式料作炉底工作层时,捣打完后应用1mm~2mm厚的钢板遮盖保护。

8.4 RH 精炼炉

8.4.1 RH精炼炉的内衬应以炉壳为导面砌筑。

8.4.2 RH精炼炉的工作层砌体宜干砌,内表面上、下层之间的错牙不应超过2mm。

8.4.3 环流管及浸渍管宜用组合砖砌筑,组合砖高度的允许偏差应为0~3mm,每组砖尺寸的允许偏差应为±1mm。

8.4.4 浸渍管组合砖立缝应错开,砖环中心线与法兰盘中心线的允许偏差应为0~3mm。氩气管应均匀分布。组合砖环之间宜用耐火泥浆砌筑。

8.4.5 浸渍管外胆使用耐火浇注料浇注时,应振捣密实,并应按规定养护、烘烤。

8.4.6 底部槽环流管组装时,与浸渍管的偏心度不应超过3mm。底部槽砖与环流管周围的砖槎应仔细加工。该部位如采用耐火捣打料或耐火浇注料时,应留设50mm~70mm的空隙并用木楔临时固定,待底砖砌筑再捣打或浇注。

8.4.7 底部槽和中部槽最上一环砖应低于法兰面15mm~

20mm,并应铺设耐火陶瓷纤维毡,厚度应以充分压实后不低于法兰面为准。

8.4.8 底部槽和中部槽、中部槽和上部槽对接时,密封槽应密封严实,法兰螺栓应连接牢固。

8.5 混 铁 炉

8.5.1 混铁炉应以炉壳为导面进行定位放线。

8.5.2 镁砖、与镁砖咬砌的黏土耐火砖均应错缝干砌,砖缝内应填满相应的耐火粉。砌镁砖前,炉底湿砌的黏土耐火砖和隔热耐火砖宜烘干。

8.5.3 炉底和炉墙交接处应仔细加工砌筑。

8.5.4 端墙、后墙宜按炉壳错台平砌。平砌的前、后墙和端墙应交错砌成整体。当后墙用楔形砖砌成弧形不与端墙错缝砌筑时,其与端墙交接处的直缝应仔细加工砌筑。

8.5.5 出铁口两侧墙应与前墙交错砌成整体。出铁口两侧的墙角 1m 范围以内不应留设膨胀缝。

8.5.6 端墙烧嘴和看火孔周围约一块砖范围内,耐火砖应紧靠炉壳砌筑。

8.5.7 拱脚板应安装正确并经检查合格后,才可砌筑拱顶。

8.5.8 拱顶应从两端向受铁口方向环砌,上、下层应交替砌筑,受铁口拱圈范围内的拱顶应错缝砌筑。拱顶填料应与砌砖同步进行。

8.5.9 受铁口拱圈砌体及其周围的楔子砖应仔细加工湿砌。

8.5.10 混铁炉工作层整体浇注时,其施工除应符合本规范第4.1节和第4.3节的规定外,还应符合下列规定:

    1 炉壳四周应根据设计规定设置排气孔并临时密封。

    2 浇注施工应分炉底、炉墙、炉顶三个部位进行,交接处应留设成凸凹形或阶梯形楂口。施工中断再施工时,其楂口应按施工缝处理。

3 砌筑炉底永久层时,应用弧形样板控制工作层的厚度。

4 炉底浇注宜采用压模施工。

5 炉墙孔、洞周围 200mm 范围内不得砌筑隔热材料。

8.6 混 铁 车

8.6.1 混铁车应按受铁口中心和炉壳两端部倾动中心点进行定位放线,并应以此定位线为依据砌筑永久层。

8.6.2 永久层黏土耐火砖应紧靠炉壳砌筑。

8.6.3 下半圆砌体应由受铁口底部中心处向两端砌筑,上半圆砌体应由两端向受铁口砌筑。砌筑工作层的同时,工作层和永久层之间的耐火浇注料应填实。

8.6.4 锥体部位应环砌,受铁口处直筒段应错缝砌筑。

8.6.5 下半圆工作层和永久层之间的耐火浇注料层应找圆、抹光和压实。其纵向用 2m 靠尺检查,表面平整偏差不应超过 3mm。圆周方向用弦长 1m 的弧形样板检查,其间隙不应超过 2mm。

8.6.6 端部与锥体部位的接触处应仔细加工砌筑。端部工作层的圆心应与炉壳的倾动中心相吻合。端部工作层的垂直允许偏差应为 0～2mm。

8.6.7 受铁口处拱脚板应安装平直、准确。

8.6.8 受铁口处的耐火浇注料应四周同时浇注、对称振捣。并应随时检查模板中心,不得偏移。

8.6.9 混铁车的砌筑宜连续进行。施工中断时,不得拖动混铁车。

8.7 钢 水 罐

8.7.1 砌体应错缝砌筑,砖缝的耐火泥浆饱满度不应小于 95％。

8.7.2 罐底永久层的标高应以水口座砖的基准板为基准,标高允许偏差应为 0～10mm。

8.7.3 水口座砖应与水口基准板的孔同心,上水口座砖应与下水口座砖同心,偏心度不应超过 2mm。

8.7.4 钢水罐水口砖和透气砖部位应预砌筑。

8.7.5 水口座砖、透气砖座砖周边间隙的耐火捣打料应分层、均匀捣打密实。

8.7.6 罐底工作层砌体应以水口座砖为基准错缝砌筑。罐底工作层的表面平整偏差应为 0～5mm,用 2m 靠尺检查。

8.7.7 罐底工作层砖砌至罐壳处应留设 30mm～50mm 间隙,并应用木楔临时楔紧。待整层砖砌筑完毕后,应将间隙填实。

8.7.8 罐壁永久层砌体应以罐壳为导面砌筑。罐壁工作层砖应紧靠永久层砌筑,背缝应填实。

8.7.9 罐壁工作层采用螺旋砌筑时,起坡过渡应平缓。退坡砖收尾时,砌体与罐沿板之间应留设 30mm～65mm 间隙,并应用填料捣实。

8.7.10 罐壁工作层采用环形砌筑时,壁砖应从耳轴区开始,在对面耳轴区合门。上、下层合门应错开 3 块～5 块砖。当工作层与永久层之间有填充层时,应在对应砖环合门后逐层捣实。

8.7.11 钢水罐中用耐火浇注料浇注的部位,其施工应符合本规范第 4.1 节和第 4.3 节的规定。

8.7.12 罐底永久层浇注前,应安装好水口座砖和透气砖座砖的胎模。罐底浇注应以水口基准板为准,耐火浇注料上表面的标高允许偏差应为 0～10mm。罐壁模具应安装准确,耐火浇注层厚度的允许偏差应为±10mm。

9 加热炉、热处理炉和退火炉

9.1 一般规定

9.1.1 加热炉、热处理炉和退火炉砌体砖缝的厚度应符合表9.1.1规定的数值。

表 9.1.1 加热炉、热处理炉和退火炉砌体砖缝的厚度

项次	部 位 名 称	砌体砖缝的厚度(mm)≤
1	镁砖或镁铬砖炉底	2
2	加热炉预热段、加热段和均热段的墙	2
3	炉底和炉墙: (1)用莫来石聚轻隔热砖砌筑 (2)其他	2 3
4	炉顶和拱	2
5	烧嘴砖	2

9.1.2 加热炉、热处理炉和退火炉的允许偏差应符合本规范第3.2.4条的规定。

9.2 加热炉和热处理炉

9.2.1 步进式、推钢式连续加热炉的水冷梁纵向中心线与炉膛的纵向中心线应一致。台车式加热炉炉膛的纵向中心线与台车轨道的纵向中心线应一致。

9.2.2 步进式、推钢式连续加热炉应以固定水冷梁的水冷滑轨或垫块表面标高为炉膛各部位的砌筑基准标高。台车式加热炉应以台车轨道表面标高为炉膛各部位的砌筑基准标高。

9.2.3 连续式加热炉水管托墙最上层砖与水管托座间应紧密接触。

9.2.4 砂封结构的砌体表面应平整,其标高应符合设计规定。砂封槽的位置和宽度应满足台车炉盖或炉门的砂封刀的使用。

9.2.5 烧嘴砖应紧靠烧嘴铁件(或烧嘴安装板)砌筑,其间隙应用耐火泥浆填塞密实。烧嘴砖与烧嘴铁件(或烧嘴安装板)之间不应垫轻质隔热材料。

9.2.6 砌筑低压涡流式煤气烧嘴的烧嘴砖时,烧嘴铁件喷出口的端面不应凹于烧嘴砖颈缩的起始部位。

9.2.7 步进式、推钢式连续加热炉砌筑之前,其水冷梁系统必须做水压试验和试通水。步进式加热炉的步进梁系统应做试运转。

9.2.8 步进式加热炉其水冷梁系统采用耐火浇注料包扎时,模板宜采用装配式异形钢模板,耐火浇注料衬体应密实、厚度均匀。

9.2.9 加热炉内的水冷管在外部包扎隔热层之前,应检查锚固件的焊接质量。当采用预制件包扎水冷管时,预制件应与水管紧贴。预制件之间接缝的耐火泥浆应饱满、密实。

9.2.10 环形加热炉炉底边缘砖、炉墙凸缘砖及其以下的炉墙应按设计尺寸砌筑。炉墙凸缘砖与炉底边缘砖之间的环形间隙不应小于设计规定的尺寸。砌筑环形加热炉内环炉墙时,墙面应垂直,不应向炉内倾斜。

9.2.11 吊挂炉顶砌筑前,应检查吊挂铁件的中心距和相对标高差:相邻铁件中心距的允许偏差应为±2mm,铁件下表面相对标高差的允许偏差应为0~4mm。

9.2.12 砌筑有电热元件的电阻炉时,其电热元件引出孔应砌筑端正,尺寸应准确;电热元件挂钩的位置和距离应符合设计规定;砌筑时不应损坏电热元件挂钩。

9.2.13 辊底式炉砌筑采用金属模具预留炉辊孔洞时,模具安装应牢固、准确。砌筑时,砌体与模具之间的间隙应正确留设。

9.2.14 炉衬为耐火陶瓷纤维的加热炉或热处理炉,应以炉壳为导面铺设各层炉衬。炉墙较高时,炉衬宜从上往下逐段施工。

9.3 退 火 炉

9.3.1 炉墙采用莫来石聚轻隔热砖砌筑,膨胀缝宜留设成上下直通、内外相错的 Z 字形锁口结构,耐火陶瓷纤维毯应及时填塞。炉底膨胀缝宜留设成同层直通、上下层错缝的结构。膨胀缝之间的滑动缝应准确留设。

9.3.2 锚固螺栓的位置应符合设计规定。内衬表面镶装不锈钢保护板时,相邻锚固螺栓中心间距的允许偏差应为±3mm。焊接耐火陶瓷纤维模块(或折叠式模块)的固定螺栓时,应采取保护螺纹的措施。

9.3.3 炉衬采用层铺式耐火陶瓷纤维毯时,铺设前应做好分类标识,铺设时层数应准确。立式退火炉宜从上往下逐段施工。

9.3.4 炉衬采用耐火陶瓷纤维模块(或折叠式模块)时,炉墙应从下往上逐层施工。耐火陶瓷纤维模块(或折叠式模块)安装完后,经检查不密实处宜借助导板加塞同材质的补偿耐火陶瓷纤维毯,塞进深度不应小于耐火陶瓷纤维模块(或折叠式模块)厚度的 2/3(图 9.3.4)。

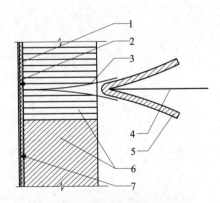

图 9.3.4　耐火陶瓷纤维毯补偿
1—炉壳;2—隔热层;3—导板;4—耐火陶瓷纤维插板;
5—补偿耐火陶瓷纤维毯;6—耐火陶瓷纤维模块(或折叠式模块);7—螺钉

9.3.5 电阻带区域的炉衬施工不应损坏电阻带挂砖。

9.3.6 退火炉耐火陶瓷纤维内衬表面设有不锈钢保护板时,保护板应从上往下逐层安装,耐火陶瓷纤维不应外露。开口处保护板应与炉壳焊接牢固。外固定螺母拧紧后宜退半圈,再与锚固钉点焊。焊接宜采用氩弧焊。

9.3.7 立式退火炉顶盖、底盖、炉辊端盖、辐射管端盖、炉门等内衬的耐火材料及不锈钢保护板宜在地面施工。

10 闪速炉、艾萨炉、回转熔炼炉、矿热电炉、卧式转炉、固定式精炼炉和回转式精炼炉

10.1 一般规定

10.1.1 闪速炉、艾萨炉、回转熔炼炉、矿热电炉、卧式转炉、固定式精炼炉和回转式精炼炉各部位砌体砖缝的厚度应符合表10.1.1规定的数值。

表 10.1.1 闪速炉、艾萨炉、回转熔炼炉、矿热电炉、卧式转炉、固定式精炼炉和回转式精炼炉各部位砌体砖缝的厚度

项次	部 位 名 称	砌体砖缝的厚度(mm)≤
Ⅰ 闪速炉		
1	沉淀池炉底： (1)环缝 　层间环缝 　环缝 (2)放射缝	 2 1 1
2	沉淀池炉顶和炉墙： (1)拱形炉顶和炉墙 (2)平炉顶	 1.5 1
3	反应塔	2
4	上升烟道	2
Ⅱ 艾萨炉		
5	炉底： (1)基础层 (2)反拱层 　环缝 　放射缝	 2 1.5 1

项次	部 位 名 称	砌体砖缝的厚度(mm)≤
	Ⅱ 艾萨炉	
6	炉墙: (1)渣线以上 (2)渣线以下	1.5 1
	Ⅲ 回转熔炼炉	
7	渣线以下	1
8	渣线以上	1.5
9	炉口反拱: (1)环缝 (2)放射缝	1.5 1
	Ⅳ 矿热电炉	
10	炉底: (1)反拱下部砌体 (2)反拱工作层 　环缝 　放射缝	1.5 1 1
11	炉墙: (1)工作层 　渣线以下 　渣线以上 (2)黏土耐火砖	 1.5 2 2
12	炉顶: (1)干砌平炉顶 (2)拱形炉顶	1 1.5

项次	部 位 名 称	砌体砖缝的厚度(mm)≤
Ⅴ 卧式转炉		
13	风口区	1
14	其他部位	1.5
Ⅵ 固定式精炼炉		
15	炉底： (1)反拱下部砌体 (2)反拱工作层 　环缝 　放射缝	2 1.5 1
16	炉墙： (1)渣线以下(含风口区) (2)渣线以上	1.5 2
17	拱形炉顶： (1)错缝砌 (2)环砌 　环缝 　放射缝	1.5 1.5 1
18	平炉顶(干砌)	1
19	烟道： (1)斜烟道、上升烟道 (2)平烟道	1.5 2
Ⅶ 回转式精炼炉		
20	端墙： (1)渣线以下 (2)渣线以上	1 1.5

项次	部 位 名 称	砌体砖缝的厚度(mm)≤
Ⅶ　回转式精炼炉		
21	筒体： (1)渣线以下 (2)渣线以上	1 1.5
22	透气砖组、氧化还原风口、出铜口、炉口反拱	1
23	出烟口、S烟管	1.5

注：炉顶的砖缝厚度不应包括夹入垫片的厚度。

10.1.2 反拱捣打层下部砌体与捣打层相接部分应按反拱弧度退台砌筑，反拱捣打层厚度不应小于 50mm。

10.1.3 反拱下部捣打层应按设计弧度分层捣实。捣打前，砌体表面应清扫干净。每层铺料厚度宜为 30mm～60mm。铺料前，应将已捣实的表面耙松 4mm～5mm。捣完后应用弧形样板检查，捣打层表面与样板间的间隙不应超过 3mm。镁质、镁铬质耐火捣打料宜采用密度为 1.30g/mL～1.35g/mL 的卤水配制。

10.1.4 砌筑镁质、镁铬质反拱砖前，其下部捣打层及湿砌黏土耐火砖应烘干。上部有耐火捣打料的反拱，其下部黏土耐火砖层应留设排气孔。

10.1.5 反拱镁质、镁铬质砖宜干砌，缝内应用干镁砂粉填充。砌筑时应先砌一环，然后以此环为标准砌筑，并应按规定留设膨胀缝。

10.1.6 反拱应由纵中心线同时向两侧对称错缝砌筑。反拱拱脚砖宜选择烧制的成品砖。当采用加工的拱脚砖时，加工面应平整并湿砌。拱脚应砌入墙内。反拱砌完后宜用油毡将其覆盖，然后再砌筑上部炉墙。

10.1.7 端墙下部与反拱面相接处应仔细加工并湿砌。

10.1.8 砌体与炉壳之间的耐火填料，应在每砌完 3 层～4 层耐火砖后填充一次,不得留有空隙。

10.1.9 放出口、风口、操作门、炉顶加料口、仪表孔等重要孔洞部位均应错缝湿砌。

10.2 闪 速 炉

10.2.1 各部位砌体宜湿砌,并应在砖缝半干状态时勾缝。

10.2.2 冰铜口、渣口、检查孔、测温孔和喷嘴孔等部位的组合砖均应预砌筑,并应根据其尺寸要求组装加工。

10.2.3 各部位 H 形钢梁的耐火浇注料应预先在地面施工。浇注前应仔细检查钢梁内的水冷铜管的安装位置,并应做水压试验确认,然后将水冷铜管周围浇注密实。浇注时不得损坏铜管。浇注完后应静置 24h,养护一周经水压试验确认才可安装。

10.2.4 闪速炉各部位水冷铜管处的耐火浇注料应逐层浇注密实。连接部的耐火浇注料应一次浇注完,与耐火浇注料接触的镁铬砖表面应做防水处理。

10.2.5 耐火浇注料的反拱底宜分格浇注,并应按样板抹光。浇注前,炉底钢板接头处的膨胀缝应用密封纸贴盖。

10.2.6 反拱底的各砖层均应预砌筑,拱脚砖面与反拱砖面相接处应吻合。砌筑最上一层反拱底前,应用砂轮将下层反拱表面的凹凸不平处磨平。

10.2.7 最上一层反拱底的拱脚表面应用砂轮打磨,并应与端墙平面层找平。

10.2.8 炉墙有孔洞的部位的砌筑应从各孔洞处的组合砖开始,组合砖的中心线应与其孔洞的中心线一致。

10.2.9 当沉淀池炉墙砌至规定高度后,应安装炉墙铜水套和水冷铜管,并应经水压试验检查合格后才可继续砌筑。耐火砖应紧靠水套砌筑。

10.2.10 沉淀池熔铸砖或镁铬砖与炉墙铜水套之间,以及该部位的黏土耐火砖与炉壳或炉壳波纹板之间的间隙,均应用耐火填料逐层捣实。

10.2.11 砌筑沉淀池顶部耐火砖前,应沿水平 H 形钢梁或垂直铜水套底部支模。

10.2.12 采用水平 H 形钢梁的拱形炉顶,应先固定水平 H 形钢梁上的带槽砖。上部带槽砖和中间楔形砖应同时砌筑,并应用耐火陶瓷纤维等调整楔形砖与两侧带槽砖的高度差。带槽砖、楔形砖均应从测温孔的组合砖开始向两边砌筑。

10.2.13 采用垂直铜水套的炉顶,应先按设计尺寸固定垂直铜水套,然后根据炉顶吊挂件的位置砌筑带槽砖。带槽砖分凸凹槽且相互咬合,测温孔处不得同时出现一种形式的砖。

10.2.14 沉淀池的吊挂炉顶应在模板上砌筑完毕后再进行吊挂。

10.2.15 沉淀池炉墙四角处预留的空隙,在炉子升温之后、投料之前,应用设计规定的耐火填料捣实。

10.2.16 对于以 H 形钢梁为支撑的反应塔顶的砌筑,应沿 H 形钢梁或垂直铜水套底部支设拱胎或模板支架。H 形钢梁周围的带槽砖应与钢梁上的支撑圆钢环配合砌筑。与钢梁加强板相接处的耐火砖应加工找平。各环锁口砖应按规定设置。

10.2.17 吊挂式反应塔顶砌筑时,应先支设模板。耐火砖摆放和炉顶吊挂应同时进行。

10.3 艾 萨 炉

10.3.1 各部位砌体应根据设计规定错缝湿砌。

10.3.2 当炉底基础层选用高铝砖湿砌时,不得留设膨胀缝。高铝砖和炉壳之间的缝隙宜采用相应材质耐火捣打料填实。

10.3.3 捣打层的施工应按本规范第 10.1.3 条的规定执行。捣打层施工完毕,应按烘炉曲线烘烤。

10.3.4 备用层与工作层为弧形反拱炉底时,两层反拱砖之间应用 10mm～100mm 厚的耐火捣打料找准弧度。反拱拱脚砖应精细加工,拱脚砖层上部应水平。工作层弧形反拱底最低点应与排空口在同一水平位置。

10.3.5 渣线上、下炉墙宜环砌。炉墙应在炉底耐火砖固定、反拱顶部找平后分段砌筑。熔池区有水套结构的炉墙,耐火砖应紧靠水套砌筑。上部椭圆锥体炉墙砌筑,退台应均匀一致。

10.3.6 备用层与工作层、炉墙与炉壳之间的耐火填料应逐层捣实,膨胀缝应按设计规定留设。炉墙顶部与炉顶罩之间的膨胀缝应用耐火陶瓷纤维毡塞实。

10.3.7 炉顶罩耐火浇注料施工前,受热钢构件表面应喷刷耐高温油漆。炉顶罩耐火浇注料板块施工后,应按设计规定养护、安装,板块之间的缝隙应用耐火陶瓷纤维绳塞紧。

10.3.8 堰口和安全排放口应预砌筑,并应与炉体砌筑同时进行,不得留设膨胀缝。外堰砌体应在钢结构安装完毕后再砌筑。

10.4 回转熔炼炉

10.4.1 炉衬砌筑应在炉体转动装置试运转合格后进行。

10.4.2 砌筑前,炉体应转到正常操作位置,并应在炉体托圈上安装临时机械限位装置。临时机械限位装置应在烘炉后拆除。

10.4.3 施工时应先拆除放渣端端盖,端盖应在放渣端圆周砌体上半部待锁口时再重新安装。

10.4.4 砌筑圆周第一层砖时,应准确放线。第一层砖与第二层砖之间的纵向砖面应与炉体纵向剖面相吻合。

10.4.5 冰铜口砌筑时应准确定位。冰铜口周围的耐火砖应在冰铜口砖砌好后再湿砌。

10.4.6 风口区应全部湿砌,不得留设膨胀缝。耐火砖与炉壳之间应填 6mm～8mm 厚的碳化硅质耐火泥浆。风口钻孔前,风口区内表面应用高强镁铬质耐火泥浆抹平,耐火泥浆硬化后打好支撑,然后由外向内钻孔。

10.4.7 端墙与圆周砌体之间应精细加工并湿砌。端墙和圆周砌体与炉壳之间应按设计规定填充耐火填料。并应边砌边填,不得留有空隙。

10.4.8 圆周上半部砌筑应通过圆形炉壳中心支设操作平台,宜采用钢质拱胎支撑法砌筑。

10.4.9 炉口砖应湿砌。炉口后部反拱应在拱胎支设前砌筑。砌筑时,应以反拱砖的组合尺寸作为定位样板,加工反拱砖下部弧形砌体,反拱砖应从弧形面中间向两边砌筑。炉口前部反拱应在拱胎上砌筑。

10.4.10 炉口两侧最后一环砖应锁紧。锁口时不得使用直形砖。

10.4.11 对有透气砖结构的回转熔炼炉,砌筑时不得堵塞透气孔。

10.5 矿热电炉

10.5.1 本节适用于铜、镍矿热电炉及渣贫化电炉炉体的砌筑。

10.5.2 砌筑炉底时,应按图纸要求同时安装炉底测温管、接地线,并应将接地线夹入砖缝中。接地线应露出炉底上表面 30mm～50mm。

10.5.3 内墙工作层镁质、镁铬质砖宜干砌,外墙及熔池以上黏土耐火砖应湿砌。炉墙上表面的表面平整偏差应为 0～2mm,两侧墙上表面相对标高差的允许偏差应为 0～5mm。

10.5.4 电极孔、烟道孔等孔洞应按设计位置留设,孔洞周围的耐火砖应砌紧。锁砖应避开孔洞。

10.5.5 当采用黏土砖(或高铝砖)和耐火浇注料预制块砌筑炉顶时,黏土砖(或高铝砖)应错缝湿砌。耐火浇注料预制块四周的耐火砖应砌紧。

10.5.6 当炉顶采用耐火浇注料现场浇注时,应对炉墙、炉底采取防水措施。H 形水冷钢梁耐火浇注料应预先在地面施工,施工完毕应按规定养护后安装。

10.6 卧式转炉

10.6.1 卧式转炉应在炉体转动装置试运转合格后砌筑。

10.6.2 卧式转炉宜采用转动炉体的方法砌筑。转动前,已砌筑部分应支撑牢固。

10.6.3 砌砖前,炉壳活动端盖与筒体之间的缝隙应用耐火陶瓷纤维等材料塞实。

10.6.4 砌体与炉壳之间应按设计厚度填充镁质、镁铬质耐火填料。

10.6.5 端墙宜错缝干砌,砖缝应用干镁砂粉填充。炼铅转炉炉衬应全部湿砌。

10.6.6 端墙与炉壳端盖之间的耐火填料应边砌边填,不得留有空隙。端墙与炉壳筒体之间的耐火填料应逐层捣实。

10.6.7 对于死底式端墙,圆周内衬的砌筑应在端墙砌完后进行。当采用转动支撑法砌筑时,端墙砌体因施工转动而受压的部分与炉壳之间应用木楔楔紧。

10.6.8 对于活底式端墙,圆周内衬应先于端墙砌筑。当采用转动支撑法砌筑时,应用丝杆支撑。当砌筑 1/2 以上时,应沿砌好的耐火砖进行第一次支撑,支撑时两丝杆间的间距不应超过 800mm;当砌至 3/4 时,应进行第二次支撑,第二次支撑应与第一次支撑垂直。

10.6.9 圆周第一层砖的放线应以端墙圆心为准。圆周砌体应按圆周内衬的半径砌筑。

10.6.10 风眼砖应放正砌平,风眼砖之间不应出现三角缝。

10.6.11 风眼区耐火浇注料应捣实抹平。

10.6.12 锁砖应锁紧,内、外砖缝应一致,锁砖与炉壳之间应用耐火填料捣实。

10.6.13 炉口区域应湿砌。炉口支撑拱应紧靠拱下砌体,拱脚应砌入墙内并应锁紧。

10.6.14 砌完而未经烘烤的炉体不得随意转动。

10.7 固定式精炼炉

10.7.1 炉底黏土耐火砖宜干砌,砖缝应用干黏土粉填充。无炉壳的固定式精炼炉炉底四周应先湿砌炉底围墙。

10.7.2 炉底第一层砖应按测量确定的水平线，纵、横拉线砌筑，并可用调节其下部耐火填料厚度的办法找平第一层砖。

10.7.3 渣线以下炉墙宜干砌，渣线以上炉墙宜湿砌。外墙黏土耐火砖与内墙镁质、镁铬质砖之间为通缝时，外墙黏土耐火砖应全部湿砌。

10.7.4 固定式精炼炉加料口区砌体应错缝湿砌。

10.7.5 镁铬质耐火捣打料应分层捣实。捣打前，反拱表面应清扫干净，并应喷洒少量水或卤水将其润湿。每层铺料厚度不宜超过 100mm。铺料前应将已捣实的表面耙松 4mm～5mm，并应喷洒少量卤水将其润湿。

10.7.6 镁铬质耐火捣打料每层捣实后均应进行检查。检查方法：将质量 1kg 的钢球从 1.5m 高处自由落下，陷坑深度不应超过 3mm；用捣锤及冲击夯在上面振打时没有痕迹，并发出金属夯击声。压在侧墙内的捣打料用直径 5mm 的平头钢杆用力压入时，其压入深度不应超过 3mm。

10.8 回转式精炼炉

10.8.1 炉衬砌筑应在炉体转动设备验收合格后进行。

10.8.2 回转式精炼炉各部位砌体宜湿砌。

10.8.3 砌筑前，炉体应转到冶炼生产正常操作位置附近，且透气砖的炉壳开孔垂直向下的位置。

10.8.4 砌筑透气砖前，应在炉壳上的透气砖开孔处焊接一个钢模。钢模的大小应与座砖的下平面一致，高度应为保温板和保温层黏土耐火砖的高度之和。

10.8.5 在钢模内浇注耐火浇注料作为透气砖组的基础支座时，座砖应在耐火浇注料硬化后砌筑。座砖周围的其他耐火砖应精细砌筑，其周围 600mm×600mm 的范围内不得留设膨胀缝。

10.8.6 回转式精炼炉直筒部宜采用转动支撑法砌筑。转动前，已砌完的部位应支撑牢固。

10.8.7 直筒部第一层砖砌筑前,应以透气砖组的座砖所在的直线定位放线。各砖层之间的纵向砖面应与纵面剖面一致。

10.8.8 球形端墙应以球面为导面砌筑,端墙与炉壳之间的耐火填料应边砌边填。对于外加弹簧的端墙,应砌成死底式端墙。

10.8.9 氧化还原风口、出铜口、烧嘴孔及取样孔等部位应预砌筑,其角度应符合设计规定。

10.8.10 炉口的双反拱砖应湿砌且砖缝厚度不应超过 1mm。当第二层反拱砖需要加工时,不得加工其砖中腰部的拐角部位。

10.8.11 炉衬全部砌完后,应从炉体外砌筑袖砖、芯砖。袖砖和芯砖的砖缝厚度不宜超过 1mm。

10.8.12 砌完而未经烘烤的炉体不得随意转动。

11 铝 电 解 槽

11.1 一 般 规 定

11.1.1 铝电解槽各部位砌体砖缝的厚度应符合表 11.1.1 规定的数值。

表 11.1.1 铝电解槽各部位砌体砖缝的厚度

项次	部 位 名 称	砌体砖缝的厚度(mm)≤
1	底：	
	(1)隔热耐火砖	2
	(2)黏土耐火砖	2
	(3)硅酸钙板	3
	(4)耐火陶瓷纤维板	3
2	墙：	
	(1)黏土耐火砖	2
	(2)侧部炭块相邻两块间的垂直缝	
	干砌	0.5
	湿砌	1.5
	(3)侧部碳化硅砖相邻两块间的垂直缝	
	干砌	0.3
	湿砌	1
	(4)异形侧部炭块、整体侧部炭块相邻两块间的垂直缝	
	干砌	0.5
	湿砌	1.5
3	侧部炭块、碳化硅砖与黏土耐火砖的接触面	3

注：当槽底采用硅藻土砖时，砌体砖缝的厚度不应超过 4mm。

11.1.2 砌筑铝电解槽的允许偏差应符合表 11.1.2 规定的数值。

表 11.1.2　砌筑铝电解槽的允许偏差

项次	偏差名称	允许偏差(mm)
1	表面平整偏差: (1)黏土耐火砖底(用拉线法检查) (2)侧部炭块下部砌体(用 2m 靠尺检查,靠尺与砌体之间的间隙)	5 3
2	标高偏差: (1)炭块组顶面 (2)相邻炭块组顶面标高差	±5 5
3	垂直偏差: 侧部黏土耐火砖墙	3

11.1.3 铝电解槽的施工应在厂房能达到防雨、防雪的条件下进行。竣工后短期内不能投产时,应采取保护措施。

11.1.4 炭素材料和制品应保管在仓库内,不得受潮和混淆。施工中应保持工作区域的清洁。

11.1.5 每个铝电解槽内的底部炭块和炭素捣打料宜为同一厂家的产品。

11.1.6 置于炭槽部分的阴极钢棒、预焙阳极的钢爪与磷生铁或炭素捣打料接触的表面均应除锈至呈现金属光泽。

11.2　内　衬

11.2.1 槽底的隔热耐火砖应错缝干砌,砖缝内应用氧化铝粉填满。

11.2.2 槽底的黏土耐火砖干砌时,砖缝内应用氧化铝粉填满,最上一层砖应湿砌。

11.2.3 槽底黏土耐火砖或干式防渗料顶面的标高,应保证阴极钢棒位于阴极窗口的中心。

11.2.4 槽底采用干式防渗料振捣时,防渗料的设计高度超过180mm应分层振捣。干式防渗料上表面应用专用刮尺找平。

11.2.5 砌筑侧部砖砌体时,不得损坏阴极窗口的密封料。砌体与阴极钢棒之间的间隙应用黏土熟料颗粒或耐火陶瓷纤维填充密实。填充料不得超出砌体表面。

11.2.6 当侧部砌体采用耐火浇注料时,阴极钢棒周围应浇注密实。耐火浇注料与阴极钢棒应接触严密。

11.2.7 侧部炭块或碳化硅砖砌筑时,应采取固定措施。干砌时,相邻炭块或碳化硅砖之间的垂直缝内、侧部炭块或碳化硅砖与槽壳之间的缝隙均宜用氧化铝粉填满。

11.2.8 砌筑角部炭块时,角部炭块与槽壳之间的空隙应用耐火浇注料填实。

11.3 阴　　极

11.3.1 制作阴极炭块组时,应按设计规定加工放置阴极钢棒的炭槽。炭槽应符合下列规定:

　　1 炭槽中心线与炭块中心线之间尺寸的允许偏差应为0～1.5mm;

　　2 炭槽横断面尺寸与设计尺寸之间的允许偏差应为±3mm;

　　3 炭槽长度与设计尺寸之间的允许偏差应为±10mm;

　　4 炭槽的槽底圆角半径不应小于10mm。

11.3.2 制作阴极炭块组应按技术规程进行,其制品应符合下列规定:

　　1 阴极钢棒中心线与炭槽中心线之间尺寸的允许偏差应为0～1.5mm,钢棒上表面应水平;

　　2 炭块组表面应清洁,炭素捣打料或阴极钢棒的表面均不应高于炭块表面,并不应低于炭块表面2mm,应用耐火泥浆抹平,表面不得有裂纹;

　　3 当采用炭素捣打料捣固时,炭素捣打料与阴极钢棒、炭块的接触面应严密,不得有间隙。

11.3.3 施工过程中不得撞击炭块组。当阴极钢棒松动时,该炭块组不得使用。

11.3.4 安装炭块组前应先设置阴极的中心线和侧边线。安装应自阴极中心向两端进行,并应符合下列规定:

    1 炭块组应安放平稳;

    2 炭块组之间垂直缝的宽度与设计尺寸之间的允许偏差应为±2mm;

    3 阴极钢棒与阴极窗口四周的间隙不应小于5mm,并应按设计规定密封。

11.3.5 各类炭素捣打料的配合比及性能应符合设计规定,施工中不得混淆。炭素捣打料的施工应按本规范第4.5节的规定执行。

11.3.6 炭块组之间的垂直缝内、炭块组与侧部内衬之间的缝隙内应采用规定配合比的炭素捣打料捣实。捣固前,应在与炭素捣打料接触的表面喷涂一层相应的结合剂。捣固应分层连续进行,并应逐层检查铺料厚度和捣固质量。

11.3.7 炭块组端面及侧部内衬之间,凡与炭素捣打料接触部位均应清扫干净并刮毛。

11.3.8 炭素捣打料的压缩比应在施工前进行试验确定。压缩比应按本规范第4.5.4条的公式计算,压缩比不应小于40%。

11.3.9 捣固炭块组之间垂直缝内的炭素捣打料前,应采取防止炭块组移动的固定措施。

11.3.10 炭块组与侧部内衬之间缝隙内的炭素捣打料宜分段捣固。接合处应留设在槽体两端的中部并成45°斜坡。

11.3.11 阴极钢棒周围的炭素捣打料应捣固密实。捣时,顶层宜减小捣固锤风压,捣固锤不得撞击钢棒或侧部砌体。每层铺料前应先将下层表面用特制的锤头刮毛。

11.3.12 活动槽沿板与侧部炭块之间的缝隙不应超过10mm。

安装活动槽沿板前,应先在侧部炭块的上表面均匀铺满设计规定的填充料,并应立即拧紧槽沿板螺栓直至多余的填充料被压出。

11.3.13 当采用固定槽沿板时,侧部炭块的上部与槽沿板之间的空隙应用炭素捣打料捣实。

11.4 阳 极

11.4.1 炭阳极与钢爪的连接处应按技术规程浇注磷生铁。

11.4.2 浇注磷生铁后的阳极制品应符合下列规定:

1 钢爪中心线与炭阳极中心线之间尺寸的允许偏差应为 0~5mm;

2 铝导杆全高的垂直允许偏差应为 0~5mm;

3 炭阳极不应有水平方向的裂纹;

4 组合的炭阳极其底面应平整,顶面的表面平整偏差应为 0~5mm。

12 炭素煅烧炉和炭素焙烧炉

12.1 一般规定

12.1.1 炭素煅烧炉和炭素焙烧炉各部位砌体砖缝的厚度应符合表 12.1.1 规定的数值。

表 12.1.1 炭素煅烧炉和炭素焙烧炉各部位砌体砖缝的厚度

项次	部 位 名 称	砌体砖缝的厚度(mm)≤
Ⅰ 炭素煅烧炉		
1	炉底和炉墙的黏土耐火砖	3
2	烧嘴砖	2
Ⅱ 密闭式焙烧炉		
3	炉底、炉墙	3
4	拱	2
5	料箱墙、炕面砖	3
6	炉盖	2
Ⅲ 敞开式焙烧炉		
7	炉底、炉墙	3
8	横墙	3

12.1.2 炭素煅烧炉和炭素焙烧炉施工前,应对炉子基础进行复测。炭素煅烧罐下部钢构件安装完毕,应经检查合格后才可施工。

12.1.3 炭素煅烧炉和炭素焙烧炉各部位的空气道、废气道、挥发分通道和火道,在其换向和封闭前应彻底清扫,各孔道应清洁畅通。

12.1.4 炭素煅烧炉的煅烧罐和燃烧火道,密闭式焙烧炉的料箱墙、炕面砖和炉盖,敞开式焙烧炉的火道和横墙,均应预砌筑。

12.2 炭素煅烧炉

12.2.1 砌筑炭素煅烧炉的允许偏差应符合表 12.2.1 规定的数值。

表 12.2.1　砌筑炭素煅烧炉的允许偏差

项次	偏　差　名　称	允许偏差(mm)
1	线尺寸偏差： (1)相邻煅烧罐中心线的间距 (2)各组煅烧罐中心线的间距 (3)相邻烧嘴中心线的间距 (4)烧嘴中心线与火道中心线的间距 (5)煅烧罐的长度 (6)煅烧罐的宽度	±2 ±5 ±2 ±2 ±4 ±2
2	表面平整偏差： (1)炉底最上层砖(用 2m 靠尺检查,靠尺与砌体之间的间隙) (2)每组煅烧罐各层火道盖板砖下的砌体上表面(用拉线法检查) 　每米长 　总长	3 2 4
3	标高偏差： (1)烧嘴中心 (2)煅烧室硅砖砌体上表面 (3)炉顶表面	±5 ±7 ±10
4	垂直偏差： 煅烧罐全高	4
5	膨胀缝的尺寸偏差： 黏土耐火砖墙与硅砖砌体之间	−1～2

12.2.2 炭素煅烧炉各部位砌体的标高应以煅烧室构架的支承板面的标高为准。

12.2.3 炭素煅烧炉硅砖砌体砖缝厚度的允许范围应为:煅烧罐和火道盖板 1mm～3mm,火道隔墙和四周墙 2mm～4mm。

12.2.4 煅烧罐的内、外砖缝应在砌筑每层火道的盖板砖前用稠耐火泥浆勾缝。

12.2.5 煅烧罐砌体的内表面不得有与排料方向逆向的错牙,其顺向错牙不应超过 2mm。

12.2.6 煅烧罐与砖墙之间的膨胀缝不得堵塞,膨胀缝同火道接触处应填塞耐火陶瓷纤维等材料。

12.2.7 炉顶的隔热层和耐火浇注料应在烘炉结束并经修整后施工。

12.2.8 炉体后部每层测温孔、看火孔、清渣孔的铸铁件应随砌随安装,不得过后补装。

12.3 炭素焙烧炉

12.3.1 砌筑炭素焙烧炉的允许偏差应符合表 12.3.1 规定的数值。

表 12.3.1 砌筑炭素焙烧炉的允许偏差

项次	偏 差 名 称	允许偏差(mm)	
		密闭式	敞开式
1	线尺寸偏差:		
	(1)焙烧室中心线的间距	±3	±3
	(2)料箱中心线的间距	±2	±2
	(3)火井中心线的间距	±2	—
	(4)烧嘴中心线的间距	±3	±3
	(5)料箱长度	±4	—
	(6)料箱宽度	±3	±3

项次	偏 差 名 称	允许偏差(mm)	
		密闭式	敞开式
2	表面平整偏差(用2m靠尺检查,靠尺与砌体之间的间隙): (1)炕面砖 (2)料箱墙下的相邻炕面砖 (3)料箱墙各层砖 (4)炉底最上层砖 (5)火道墙各层砖 (6)焙烧室间横墙最上层砖 (7)全炉炉墙的上表面各点相对标高差(用测量仪器检查)	3 2 3 — — 5 20	— — — 3 3 5 20
3	标高偏差: (1)烧嘴中心 (2)火道顶表面	±3 —	— ±5
4	垂直偏差: 料箱墙 每米高 全高	 3 10	 3 8

注:敞开式焙烧炉火道墙的中心线可用料箱中心线控制,其料箱墙包括火道墙和横墙。

I 密闭式焙烧炉

12.3.2 焙烧室侧部弧形墙上挑出的各层支撑砖台应在同一垂直面上。

12.3.3 料箱底的中间炕面砖应在料箱墙砌筑完并清扫干净后再正式砌筑。

12.3.4 料箱墙内表面的砖缝应用稠耐火泥浆勾缝。

12.3.5 煤气管端部与烧嘴应在同一中心线上,两者接触处应密封严密。

12.3.6 炉盖砖应从每圈四角的角砖开始砌筑,炉盖边缘的异形砖应紧靠框架砌筑。

12.3.7 砌完的炉盖应采用专门的吊架搬运。搬运时,炉盖应受力均匀,砌体不得松动。

Ⅱ 敞开式焙烧炉

12.3.8 敞开式焙烧炉砌筑之前,应立固定标杆作为放线和检查尺寸的基准。

12.3.9 侧墙和横墙上凹形砌体的内表面应平直,其线尺寸的允许偏差应为 0~3mm。

12.3.10 火道封顶砖下部的砌体宜用稀耐火泥浆沾浆砌筑,砖缝厚度应为 0.5mm~1.5mm。

12.3.11 火道封顶砖下部的砌体,朝向料箱面的垂直缝可为空缝,砖缝厚度不应超过 3mm。该部位砌体的水平缝应铺浆砌筑,其厚度不应超过 2mm。

12.3.12 砌筑插入横墙凹形槽内的火道墙时,应采取防止膨胀缝填充材料受损的措施。

12.3.13 有锁砖结构的装配式火道墙应按高度分段砌筑。每段砌体应经检查合格后,才可砌筑锁砖。火道墙未经固定时,不得砌筑上段砌体。锁砖应两侧对称同时砌筑,其厚度应与锁口宽度吻合。砌筑锁砖时,火道砌体不得变形和位移。

12.3.14 横墙顶部砂封座下的砌体应预砌筑,各砂封座的标高和中心应符合设计规定。

12.3.15 铸铁件和砌体之间应垫浸有耐火泥浆的耐火陶瓷纤维毡。

12.3.16 炉墙顶表面的耐火浇注料,应在炉面框架和各种铁件安装完毕、膨胀缝填充材料敷设好,并应经检查合格后浇注。

12.3.17 火道墙顶预制块制作的尺寸允许偏差应为 ±1%。预制块安装时应轻放,不得损坏火道墙墙体,与墙体的错台应小于5mm。

12.3.18 焙烧炉连通烟道最上一层砖的长边应与气流方向垂直,耐火砖的加工面不得朝向炉内。

12.3.19 火道墙砌筑过程中,应防止杂质掉入墙内。

13 玻璃窑炉

13.1 一般规定

13.1.1 玻璃窑炉的下列部位应干砌:池底、池壁、下间隙砖、用熔铸砖砌筑的上部结构、桥砖、蓄热室砖格子、小炉、流道熔铸砖、锡槽底、锡槽顶、通路、料道以及设计规定应干砌的部位。其他部位应湿砌。

13.1.2 除设计中规定留设膨胀缝或加入填充物外,干砌的砌体内砖与砖之间应相互靠紧,砖缝内不应填充耐火粉。干砌部位的耐火砖应进行挑选、加工和预砌筑。

13.1.3 玻璃窑炉各部位砌体砖缝的厚度应符合表 13.1.3 规定的数值。

表 13.1.3 玻璃窑炉各部位砌体砖缝的厚度

项次	部 位 名 称	砌体砖缝的厚度(mm)≤
1	烟道和蓄热室: (1)底、墙 (2)蓄热室拱脚以上的分隔墙 (3)拱	 3 2 2
2	小炉: (1)用硅砖、熔铸砖砌筑的墙和拱 (2)用熔铸砖砌筑的小炉口 (3)底	 2 1(干砌) 2
3	熔化部、卡脖和冷却部: (1)用大型熔铸砖砌筑的池壁 (2)窑拱 (3)前墙拱、分隔装置的单环拱	 2(干砌) 1.5 1

项次	部 位 名 称	砌体砖缝的厚度（mm）≤
3	(4)用硅砖砌筑的胸墙 (5)用熔铸砖砌筑的胸墙 (6)流液洞砖砌体	1.5 2 1(干砌)
4	通路： (1)用大型熔铸砖砌筑的池壁 (2)供料通路接触玻璃液的底和墙 (3)拱 (4)上部墙	1(干砌) 1 1.5 2

13.1.4 砌筑玻璃窑炉的允许偏差应符合表 13.1.4 规定的数值。

表 13.1.4　砌筑玻璃窑炉的允许偏差

项次	偏 差 名 称	允许偏差(mm)
1	线尺寸偏差： (1)蓄热室炉条碹间距 (2)蓄热室实际中心线 (3)各个小炉实际中心线 (4)熔池和通路池底的砖缝与黏土耐火砖垛中心位移 (5)流槽砖伸入锡槽内的距离 (6)锡槽顶盖采用耐火浇注料预制块时,其外形尺寸	±2 5 3 10 ±2 −2~0
2	标高偏差： (1)蓄热室相邻炉条碹顶面标高差 (2)蓄热室炉条碹顶面标高差 (3)熔池池底黏土耐火砖垛顶面标高 (4)熔池池底相邻黏土耐火砖垛顶面标高差 (5)熔池池壁顶面标高 (6)锡槽底顶面标高 (7)锡槽相邻底砖顶面标高差	2 5 −2~0 2 0~5 ±1 1
3	膨胀缝的尺寸偏差	−1~2

13.1.5 前墙拱、窑拱的支撑拱、池壁、小炉口平拱、小炉变跨度的斜拱、桥砖、分隔装置拱和熔铸砖砌筑的砌体等,应按厂家组装编号进行砌筑。拱合门前应预排,合门应接缝严密。

13.1.6 各部位池底的大型黏土耐火砖,除接触玻璃液的面外,其余均可加工。砖的加工面应用靠尺和方尺检查,尺与砖面之间的间隙均不应超过 1mm。砖的尺寸允许偏差应为±1mm。

13.1.7 各部位池底的大型黏土耐火砖宜采用真空吸盘吊装就位,并均应从各处的中心线向两侧进行。砌筑熔池池底时,应调整好扁钢的位置并采取临时固定措施。临时固定措施应在施工完后拆除。

13.1.8 池底砌体的砖缝除设计特别标明的部位外,纵、横方向均应对正。砖缝处应按设计留设膨胀缝,缝内应保持清洁。

13.1.9 池底上表面在砌筑池壁的部位应测量找平。池底砖外缘不得在池壁砖外缘以内。

13.1.10 池壁转角处不应交错砌筑,除设计另有规定外,该处应沿较长的池壁面砌成直缝。池壁砖应保持垂直,池壁转角处应接缝严密。

13.1.11 砌筑具有可调节骨架的拱顶时,应沿拱的中心线打入一排锁砖。锁砖打入后,拱顶应用稀耐火泥浆灌缝。

13.1.12 前墙拱、分隔装置等第一层拱砌筑完后,应先拧紧拉杆的螺母,再砌筑上层拱。窑拱的支撑拱、前墙拱和分隔装置等的上层拱不得比第一层拱砌得紧。

13.1.13 前墙拱、分隔装置的单环拱和桥砖砌筑时,砖环各部位的中心线应同立柱、顶紧装置的中心线对正。

13.1.14 熔池池底、池壁及其上部结构全部砌筑完后,应用钢刷清除砌体内表面的杂物,并应用吸尘器吸除。

13.1.15 窑拱隔热层施工前,应进行拱顶的清扫、密封和缺陷的修补工作。池壁、胸墙、小炉的隔热层应按设计要求施工。

13.1.16 玻璃窑炉各部位的隔热层不得将钢结构包在其内。

13.2 蓄热室、烟道和小炉

13.2.1 烟道墙或蓄热室墙用两种以上不同材质的砖砌筑时,沿高度方向每隔 500mm,内、外层砖应互相咬砌一层。

13.2.2 蓄热室炉条碹不得歪斜,炉条碹与蓄热室墙之间的缝隙应符合设计规定。炉条碹合门砖不得加工。

13.2.3 砖格子表面应保持水平,上、下格孔应垂直。砖格子与墙之间的缝隙应符合设计规定。水平观察孔与水平格孔应对准。施工过程中应保护好成品,不得堵塞格孔。

13.2.4 室内烟道或室外烟道与上升烟道之间应砌成直缝。

13.2.5 用熔铸砖砌筑的小炉,宜先砌小炉后砌蓄热室墙。

13.2.6 小炉砌筑前应调整好扁钢或型钢的位置和标高。

13.2.7 砌筑小炉斜拱时,在骨架未箍紧前,应采取防止斜拱拱砖下滑的措施。用硅砖或镁砖砌筑的小炉斜拱应错缝砌筑。

13.2.8 小炉拱砌筑完毕后,应依次均匀、对称地拧紧小炉拱顶丝,使拱逐渐拱起脱离拱胎。经检查无下沉、变形和局部下陷后,拱胎才可拆除。

13.3 熔化部、卡脖和冷却部

13.3.1 熔化部、卡脖和冷却部应以一号小炉中心线为基准进行各段控制线的定位。

13.3.2 熔化部池壁顶面的标高不应低于冷却部池壁顶面的标高。

13.3.3 砌筑熔化部和冷却部的窑拱前,应对立柱采取临时固定措施。

13.3.4 窑拱拱脚砌筑前,应调整拱脚砖支承钢件。拱脚砖与支承钢件间、支承钢件与立柱间的不平整处均应用钢板垫平。窑拱拱脚砖与窑炉中心线的间距、拱脚砖的标高应符合设计规定。

13.3.5 熔化部和冷却部窑拱的分节处应留设膨胀缝。当窑拱中有支撑拱时,分节处支撑拱的拱脚至拱顶找平砖应砌成直缝,不应留设膨胀缝。

13.3.6 熔化部窑拱砌筑时,每侧窑拱的所有支撑拱,其同一层拱的锁砖应同时打入。打入锁砖前,每侧窑拱两端的支撑拱拱脚外应采取临时顶紧措施。

13.3.7 窑拱砌筑过程中,应随时用胎面卡板检查砖面与窑拱半径的吻合情况并进行调整。

13.3.8 熔化部和冷却部每节窑拱的端部,不应砌宽度小于150mm的拱砖。

13.3.9 熔化部和冷却部窑拱砌筑完毕后,应逐步并均匀对称地拧紧各对立柱间拉杆的螺母。用于检查拱顶中间和两肋上升、下沉的标志,应先行设置。必须在窑拱脱离开拱胎,并应经过检查未发现下沉、变形和局部下陷时拆除拱胎。

13.3.10 挂钩砖底面应湿砌,顶面应平整。挂钩砖的内弧面与托板间应留设间隙。挂钩砖之间应留设膨胀缝。上间隙砖与窑拱间的间隙应填充与砌体相应的稠耐火泥浆。砌筑挂钩砖与胸墙时,应采取防止向窑内倾倒的措施。

13.3.11 有隔热层的窑底在砌铺面砖之前,应捣实耐火捣打料层。

13.4 通路和成型室

13.4.1 锡槽纵向中心线应与窑炉纵向中心线一致,两者横向定位尺寸应符合设计规定。锡槽横向中心应以锡槽第一根立柱中心线为基准定位。

13.4.2 锡槽槽底砖固定前,锚固件与底部钢板应焊接牢固。

13.4.3 固定锡槽底砖的螺杆宜采用螺柱焊机焊接,固定螺母不应过紧。

13.4.4 填入螺栓孔内的石墨粉应捣固密实。

13.4.5 锡槽出口唇砖定位之前,应检查出口唇板标高。

13.4.6 砌筑锡槽顶盖砖时,吊挂件的松紧、高度应调整一致,受力应均匀。

13.4.7 通路池底砖的斜压缝处不应留设膨胀缝。

13.4.8 供料通路内壁和锡槽底砖的砖缝、膨胀缝,应采取防止杂物混入的措施。供料通路砌体和炉头锅的接缝不应超过 1.5mm。

14 回转窑、石灰竖窑及其附属设备

14.1 回转窑及其附属设备

14.1.1 回转窑及其附属设备各部位砌体砖缝的厚度应符合表14.1.1规定的数值。

表 14.1.1 回转窑及其附属设备各部位砌体砖缝的厚度

项次	部 位 名 称	砌体砖缝的厚度(mm)≤
1	回转窑窑体和单筒冷却机(含环砌、错缝砌筑)： (1)纵向缝 　湿法砌筑 　干法砌筑(含钢板砌筑) (2)环向缝	 2 依设计规定 3
2	预热器和分解炉： (1)窑尾烟室和分解炉内的直(或圆)墙和斜墙的耐火砖 (2)其他各部位的耐火砖 (3)隔热耐火砖、隔热板	 2 3 3
3	窑门罩、箅式冷却机和三次风管： (1) 耐火砖 (2) 隔热耐火砖、隔热板	 2 3

Ⅰ 回转窑、单筒冷却机

14.1.2 回转窑、单筒冷却机筒体内衬的施工应在筒体安装完毕，并应经检查和空运转测试合格后进行。

14.1.3 回转窑、单筒冷却机的筒体内壁应打磨平整，其表面的灰尘和渣屑应清除干净。焊缝高度应小于 3mm。

14.1.4 砌筑内衬用的纵向基准线宜用垂吊、激光仪器法放线。每条线均应与筒体的中心轴线平行。砌筑前还应划好平行于纵向基准线的纵向施工控制线。纵向施工控制线宜每隔 1.5m 设置一条。

14.1.5 砌筑内衬用的环向基准线宜用垂吊转动法放线,每 10m 设置一条。环向施工控制线宜每隔 1m 设置一条。环向基准线和环向施工控制线均应相互平行且垂直于筒体的中心轴线。

14.1.6 所有砌筑均应按基准线和施工控制线进行。

14.1.7 筒体直径小于 4m 时宜采用转动支撑法砌筑,直径大于 4m 时宜采用拱架法砌筑。

14.1.8 内衬两种主砖应按设计比例均匀地交替排布,宜采用环砌法砌筑。强度较低的耐火砖宜采用交错砌筑法。

14.1.9 耐火砖之间应按设计正确使用接缝材料。耐火砖与筒体(或永久层)之间应紧贴,上、下层耐火砖之间应砌紧。

14.1.10 采用拱架法砌筑时,应先砌筑下部半圈,然后将拱架安装牢固,再从两侧同时将耐火砖逐块顶至预定位置并紧贴筒体(或永久层),直至锁口处附近位置。在锁口区,应先将两侧的耐火砖向左右两个方向顶紧,然后再进行预排和锁口。

14.1.11 采用转动支撑法砌筑时,应分段砌筑,每段长度宜为5m～6m。首先应从窑底开始,沿圆周方向同时均衡地向两边砌筑;砌过半周 1 层～2 层耐火砖后,应支撑牢固;然后将筒体转动1/4 周,从窑底砌至水平,进行第二道支撑后转动筒体,并砌筑至锁口区附近;最后进行预排和锁口。

14.1.12 环砌时,环缝的扭曲偏差每米不应超过 3mm,全环不应超过 10mm。交错砌筑时,纵向缝的扭曲偏差每米不应超过3mm,每 5m 不应超过 10mm。

14.1.13 砌筑至锁口区附近时,应将主砖和插缝砖进行预排。锁口区内的插缝砖和主砖应均匀地交替间隔排布。相邻环之间的插缝砖应错开 1 块～2 块砖的位置。插缝砖加工后的厚度不应小于原砖厚度的 2/3,并不得作为本环最后一块锁砖打入砌体内。

14.1.14 锁口区的最后一块锁砖均宜从侧面打入拱内。当最后一块锁砖不能从侧面打入时,可先加工锁口一侧的 1 块～2 块耐火砖,使锁口上下尺寸相等,然后将与锁口尺寸相应的耐火砖从上面打入,并应在其两侧处用钢板锁片锁紧。

14.1.15 锁口用的钢板锁片可采用 2mm～3mm 钢板,每个砖缝中的钢板锁片不应超过 1 块。每环锁口区不应超过 4 块锁片,并应均匀地分布在锁口区内。体形较薄的插缝砖和经过加工的锁砖旁边不宜打入钢板锁片。

14.1.16 每砌筑完一段或一环后,应拆除支撑或拱架,并应及时检查耐火砖与筒体(或永久层)的间隙,不得出现下垂脱空现象。

14.1.17 全窑完成砌筑、检查、紧固后,不宜再转窑,并应及时烘窑、投入使用。

Ⅱ 预热器系统、箅式冷却机及其他设备

14.1.18 体积较小的下料管、闸阀和膨胀节等管件或设备的内衬,宜在地面或平台上施工。

14.1.19 各设备中预留的孔洞处应精心施工,并应逐个检查,不得遗漏。

14.1.20 各设备内、各设备之间的膨胀缝均应按设计留设,并应填充耐火陶瓷纤维。

14.1.21 锥体、斜坡的坡度应准确,内衬表面应平整,并不得有与物料运动方向相反的逆向错牙。

14.1.22 砌筑平面直墙部位的耐火砖时,锚固砖应按设计规定排布。金属锚固钩后的固定座与壳体间应焊接牢固,并应用耐火陶瓷纤维塞紧。

14.1.23 耐火浇注料施工前,在与其相接触的砌体表面应刷防水剂。耐火浇注料的单次施工面积不宜超过 1.5m²。

14.1.24 砌筑窑门罩上部半圆耐火砖前,应在壳体上划出施工控制线。拱环砌体不得出现歪斜、脱空现象。拱环砌筑的最后一块锁砖应从罩顶专用口处向下插入并用锁片锁紧。无专用口时,应沿砖环方向在壳体上开一个方形孔用于锁砖。

14.2 石 灰 竖 窑

I 套筒石灰竖窑

14.2.1 砌筑套筒石灰竖窑的允许偏差应符合表 14.2.1 规定的数值。

表 14.2.1 砌筑套筒石灰竖窑的允许偏差

项次	偏 差 名 称	允许偏差(mm)
1	线尺寸偏差: (1)过桥拱的跨度 (2)过桥拱两侧拱脚砖的对角线长度差	±5 5
2	表面平整偏差(用 2m 靠尺检查,靠尺与砌体之间的间隙)	5
3	直径偏差: (1)圆形炉墙 (2)燃烧室 (3)废气管、喷射器管及循环管	±10 ±5 ±8
4	垂直偏差: (1)内、外筒炉墙 　每米高 　全高 (2)燃烧室炉墙	 3 15 5
5	膨胀缝的尺寸偏差: (1)分散膨胀缝 (2)集中膨胀缝	0~1 0~5
6	砖缝厚度的偏差: (1)镁砖、镁铝尖晶石砖 (2)其他耐火砖	±1 −1~2

14.2.2 内、外筒墙体砌筑前,底部应用耐火浇注料找平。

14.2.3 砌体工作层与隔热层、砌体与钢结构壳体之间的间隙,小于10mm可用耐火泥浆填塞密实,大于10mm可用轻质耐火浇注料填塞。

14.2.4 内筒挂砖与钢结构之间的间隙应均匀一致,间隙内应用耐火陶瓷纤维毯填塞密实。

14.2.5 内、外筒工作层的砌筑中心线应与内筒钢结构中心线保持一致。

14.2.6 内、外筒墙应由下而上同步砌筑。砌筑过程中应用木靠尺等工具控制砌体上表面的平整度,用弧度板控制墙面的椭圆度。

14.2.7 上、下过桥拱和燃烧室烧嘴砖砌筑前,应预先进行加工、组装。

14.2.8 过桥拱拱脚砖下表面的砌筑标高应以各燃烧室的水平中心线的平均标高为基准确定。过桥拱应先预排后砌筑。

14.2.9 平拱应从内筒到外筒一环一环咬砌。每环砖应从平拱的纵向中心线开始对称预排,并应从纵向中心线开始同时往两侧方向砌筑。

14.2.10 燃烧室隔热层和工作层应以壳体的十字中心线为基准,支设中心轮杆逐层控制半径砌筑。

Ⅱ 双筒石灰竖窑

14.2.11 砌筑双筒石灰竖窑的允许偏差应符合表14.2.11规定的数值。

表14.2.11 砌筑双筒石灰竖窑的允许偏差

项次	偏差名称	允许偏差(mm)
1	线尺寸偏差: (1)支撑拱两侧拱脚砖的间距 (2)环形通道内、外筒墙体的间距 (3)装料区部位喷涂层的厚度	±2 ±5 0~10
2	表面平整偏差(用2m靠尺检查,靠尺与砌体之间的间隙)	5

项次	偏 差 名 称	允许偏差(mm)
3	直径偏差： 圆形炉墙	±10
4	垂直偏差： 圆形炉墙 每米高 全高	 3 15
5	膨胀缝的尺寸偏差： (1)分散膨胀缝 (2)集中膨胀缝	 0～1 0～5
6	砖缝厚度的偏差： (1)镁砖、镁铝尖晶石砖 (2)其他耐火砖	 ±1 —1～2

14.2.12 两个筒体托砖板上表面应以同一标高为基准,用耐火浇注料找平。两个筒体的冷却部工作层砌筑时,砖层表面应平整,同一砖层的标高应一致。

14.2.13 冷却部支撑柱以下砌体应以炉壳为导面砌筑,冷却部支撑柱及其以上各部位砌体均应以筒体中心线为基准砌筑。冷却部支撑柱砌体应准确定位后放线砌筑。

14.2.14 支撑柱拱砖应预砌筑。

14.2.15 同一筒体支撑拱的拱胎应在支撑拱砖全部合门后拆除。

15 隧道窑和辊道窑

15.1 隧 道 窑

15.1.1 隧道窑各部位砌体砖缝的厚度应符合表 15.1.1 规定的数值。

表 15.1.1　隧道窑各部位砌体砖缝的厚度

项次	部 位 名 称	砌体砖缝的厚度(mm)≤
1	窑墙： (1)预热带及冷却带内层耐火砖 (2)烧成带内层耐火砖 (3)隔热层砌体 (4)外墙耐火砖	3 2 3 3
2	散热孔拱、燃烧室拱及其他拱	2
3	烧嘴砖	2
4	窑顶： (1)耐火砖 (2)隔热耐火砖	2 3
5	窑车砌体： (1)普形砖 (2)大型砖	3 5

15.1.2 隧道窑窑体砌筑的测量定位应以窑车轨面标高和轨道中心线为基准。

15.1.3 砌筑隧道窑的允许偏差应符合表 15.1.3 规定的数值。

表 15.1.3 砌筑隧道窑的允许偏差

项次	偏差名称	允许偏差（mm）	
		陶瓷窑	耐火窑
1	线尺寸偏差：		
	(1)窑体纵向中心线的直线度	1	1
	(2)窑体的断面尺寸		
	宽度	±5	−5～10
	高度	0～5	−5～10
	(3)窑墙内表面与纵向中心线的间距	±3	±5
	(4)窑墙内气道纵向中心线的直线度	3	5
	(5)两侧墙曲封砖之间的间距	0～5	−5～10
	(6)窑车砌体的宽度	−5～0	−5～0
	(7)封闭气幕喷出孔		
	宽度	±3	—
	高度、长度	±10	—
	(8)封闭气幕的定位尺寸	±10	—
	(9)气氛气幕和急冷气幕的定位尺寸	±5	—
2	垂直偏差：		
	(1)内墙	3	5
	(2)外墙	5	10
3	标高偏差：		
	(1)砂封槽下墙面	±3	±3
	(2)曲封砖顶面	±3	±5
	(3)窑墙顶面	±3	±5
	(4)排烟口标高	±5	—

项次	偏差名称	允许偏差(mm)	
		陶瓷窑	耐火窑
4	表面平整偏差(用2m靠尺检查,靠尺与砌体之间的间隙):		
	(1)内墙	3	5
	(2)窑墙顶面	3	5
	(3)曲封砖面	3	5

15.1.4 隧道窑的吊挂顶和空心砖砌体应预砌筑。吊挂砖和空心砖应选分和编号。

15.1.5 砂封槽、曲封砖和拱脚砖下的三段窑墙的质量应分别检查合格后,才可砌筑上部砌体。

15.1.6 窑墙不同砖种的砖层应由内向外逐次错台砌筑,不得先砌内、外两层,后砌中间各层。

15.1.7 留设窑墙膨胀缝时,应先立好木样板,从下至上留成直缝,砂封槽、曲封砖和拱脚砖处宜错开留设。窑墙的内、外层膨胀缝应错开。当工作层的厚度超过一块砖的厚度时,该层的膨胀缝也应内外错开。

15.1.8 空心砖砌体砌筑时,其接口应吻合。残余的耐火泥浆应随时清除,砖缝勾缝应严密。

15.1.9 空心砖应分层砌筑。上一层砖应待下层砖砌筑完并经检查合格后砌筑。

15.1.10 窑顶砖应湿砌,镁质制品宜干砌。

15.1.11 窑顶拱胎、吊挂砖托板的拆除应在吊杆螺母、两侧立柱拉杆螺母拧紧且压紧装置顶紧后进行。

15.1.12 窑墙顶部两侧气道的砖缝应严密。

15.1.13 事故处理孔的底面应与窑车台面平齐。

15.1.14 砌筑各气幕时,通道壁、通道内和进、出风口处应清理干净,不得有残余耐火泥浆。

15.2 辊 道 窑

15.2.1 辊道窑各部位砌体砖缝的厚度应符合表 15.2.1 规定的数值。

表 15.2.1　辊道窑各部位砌体砖缝的厚度

项次	部 位 名 称	砌体砖缝的厚度(mm)≤
1	窑墙： (1)预热带及冷却带内层耐火砖 (2)烧成带内层耐火砖 (3)隔热层砌体 (4)耐火砖与耐火陶瓷纤维板结合部	3 2 3 5
2	烧嘴砖	2
3	窑顶： (1)耐火砖 (2)隔热耐火砖	2 3
4	窑底	3

15.2.2 辊道窑窑体砌筑的测量定位应以辊棒中心线标高和窑体中心线为基准。

15.2.3 砌筑辊道窑的允许偏差应符合表 15.2.3 规定的数值。

表 15.2.3　砌筑辊道窑的允许偏差

项次	偏 差 名 称	允许偏差(mm)
1	线尺寸偏差： (1)窑体纵向中心线的直线度 (2)窑体的断面尺寸 　宽度 　高度 (3)窑墙内表面与纵向中心线的间距 (4)窑墙内气道纵向中心线的直线度 (5)拱顶跨度	2 ±3 ±3 ±2 3 ±10

项次	偏 差 名 称	允许偏差(mm)
2	垂直偏差: 侧墙 内表面 外表面	 2 5
3	标高偏差: (1)窑顶 (2)窑底 (3)拱脚砖下底面 (4)辊孔砖中心线 (5)辊下两侧窑墙顶面的标高差	 ±3 ±3 ±3 ±1 1
4	表面平整偏差(用 2m 靠尺检查,靠尺与砌体之间的间隙): (1)内墙 (2)窑墙顶面 (3)窑底表面	 2 3 3
5	两侧相对辊孔砖相对砖孔的同心度	1

15.2.4 辊道窑相邻辊孔砖之间宜留设 3mm～5mm 的膨胀缝。

15.2.5 辊孔砖应在辊下两侧墙砌体的标高及标高差经检查合格后砌筑。

15.2.6 辊孔砖应检选,有裂纹的辊孔砖不得使用。辊孔砖不得加工。

15.2.7 事故处理孔的过桥砖不得有裂纹。

15.2.8 上挡板插入孔应按设计规定留设,上挡板与插入孔之间应用耐火陶瓷纤维棉密封严密。

16 转化炉和裂解炉

16.1 一 般 规 定

16.1.1 转化炉和裂解炉各部位砌体砖缝的厚度应符合表 16.1.1 规定的数值。

表 16.1.1 转化炉和裂解炉各部位砌体砖缝的厚度

项次	部 位 名 称	砌体砖缝的厚度(mm)≤
1	一段转化炉： (1)炉墙 (2)烟道、挡火墙 (3)燃烧器	2 2 2
2	二段转化炉： 球形拱顶	2
3	裂解炉： (1)炉墙 (2)燃烧器	2 2

16.1.2 砌筑转化炉和裂解炉的允许偏差应符合表 16.1.2 规定的数值。

表 16.1.2 砌筑转化炉和裂解炉的允许偏差

项次	偏 差 名 称	允许偏差(mm)
1	垂直偏差： (1)炉墙(耐火砖、隔热耐火浇注料) 　每米高 　全高 (2)耐火陶瓷纤维制品炉墙	 3 15

项次	偏 差 名 称	允许偏差(mm)
1	每米高	10
	全高	20
	(3)烟道墙、挡火墙	
	每米高	3
2	表面平整偏差(用2m靠尺检查,靠尺与砌体之间的间隙):	
	(1)隔热耐火浇注料内衬	
	长度≤2m	3
	2m~4m	10
	(2)炉墙上层砖	5
	(3)烟道、挡火墙	6
	(4)炉底、烟道底	5
	(5)耐火陶瓷纤维制品炉墙、炉顶	10
3	线尺寸偏差:	
	(1)隔热耐火浇注料内衬	
	厚度≤150mm	±4
	>150mm	±10
	(2)耐火陶瓷纤维制品内衬	
	厚度≤100mm	±10
	>100mm	±15
	(3)辐射室内空间尺寸	
	长度、宽度	±10
	炉墙对角线长度差	15
	(4)二段转化炉	
	炉墙内直径	±15
	隔热耐火浇注料内衬的椭圆度	直径的0.4%,并不应超过20mm
4	膨胀缝的尺寸偏差	—1~2

16.1.3 与炉衬接触的钢结构及设备的金属表面应清除浮锈和油污。除锈质量应符合设计规定,当设计无规定时,应符合现行国家标准《涂覆涂料前钢材表面处理 表面清洁度的目视评定》GB/T 8923 中 Sa 2 或 St 2 级的规定。

16.1.4 炉墙隔热板应在炉内试铺,并应根据试铺时刻印在隔热板上的锚固件位置,宜采用电钻钻出锚固件的安装孔槽。隔热板外形需要加工时,应在板上放样画线,并应使用专用工具切割。厚度方向的最大切削厚度不应超过 5mm。

16.1.5 炉墙隔热耐火砖应湿砌。砖与隔热板之间应紧贴,不得填充耐火泥浆。

16.1.6 燃烧器耐火砖砌体的中心线应与金属燃烧器的中心线重合,其允许偏差应为 0～3mm。砌筑前耐火砖应预砌筑、编号。炉底燃烧器耐火砖砌体外侧与炉底耐火浇注料、耐火砖之间应填充耐火陶瓷纤维毯。

16.1.7 与隔热耐火浇注料接触的隔热板、隔热耐火砖、耐火陶瓷纤维制品的表面应刷一层沥青或采取其他防水措施。

16.1.8 隔热耐火浇注料拆模后,应进行外观检查。其裂缝宽度小于 3mm 时,可不进行修补;3mm 以上的裂缝,但不脱落或剥离时,可用耐火陶瓷纤维毯填充;当隔热耐火浇注料有脱落或有 10mm 以上的裂缝时,应用相应材质的不定形耐火材料修补。修补时,应将裂缝处的隔热耐火浇注料凿至炉墙结合面或隔热层,形成倒梯形,露出的锚固件的数量不应少于 2 个。

16.1.9 对已安装好的炉管应采取保护措施,不得损坏和沾污。

16.1.10 炉衬施工应在具备条件、确认合格并办理工序交接证明书后进行。

16.2 一段转化炉和裂解炉

I 辐 射 室

16.2.1 辐射室内衬的施工宜按先下后上、先里后外的顺序进行。

16.2.2 隔热板作隔热层时,应符合下列规定:

1 隔热板应紧贴炉壳铺砌,同层隔热板之间应紧靠。相邻两层隔热板应错缝铺砌,错缝间距应大于 50mm。

2 当局部炉壳外凸,隔热板之间、隔热板与炉壳之间的间隙超过 3mm 时,应用耐火陶瓷纤维毯填充。

3 锚固件的孔槽应用耐火陶瓷纤维毯填满。

16.2.3 当耐火陶瓷纤维毯和隔热板作隔热层时,耐火陶瓷纤维毯的铺贴应符合本规范第 5.2 节的规定。隔热板与耐火陶瓷纤维毯之间应紧靠,不得填充耐火泥浆。

16.2.4 炉墙内采用拉砖钩结构时,拉砖钩应平直地嵌入砖内,其插入锚钉孔的深度不应小于 25mm。拉砖钩遇到砖缝或膨胀缝时,应按本规范第 3.2.41 条的规定执行。

16.2.5 炉墙内同时采用拉砖钩和拉砖杆结构时,拉砖钩和拉砖杆应符合本规范第 3.2.40 条的规定。

16.2.6 与托砖板上表面接触的耐火砖砖面不应涂抹耐火泥浆。托砖板朝向炉内的一端与异形耐火砖之间的膨胀间隙应符合设计规定,小于设计规定值时应加工耐火砖。

16.2.7 耐火砖炉墙应按设计规定留设膨胀缝,且不宜产生负偏差,膨胀缝内应用耐火陶瓷纤维毯填塞。

16.2.8 温度计套管、吹灰器及蒸汽管管孔处的耐火砖应加工成喇叭形。耐火砖与管子周围的间隙应用耐火陶瓷纤维毯填塞。

16.2.9 真空成型窥视孔预制块的安装应符合下列规定:

1 安装前应预组装,正式安装应在其下方耐火砖或耐火陶瓷纤维模块施工后进行。窥视孔预制块中心与金属壁板开孔中心的允许偏差应为 0~5mm;

2 锚固件应焊接牢固,位置应准确;

3 在耐火砖炉墙中采用真空成型窥视孔预制块时,预制块与耐火砖墙之间应留设膨胀缝,并应填充耐火陶瓷纤维毯。

16.2.10 真空成型窥视孔采用耐火砖砌筑后切割而成时,应预砌筑,迎火面不得出现截面为三角形的条形耐火砖。

16.2.11 裂解炉贯穿柱采用隔热耐火浇注料、耐火砖和耐火陶瓷纤维模块结构时,其施工应符合本规范相应条文的规定。

16.2.12 耐火陶瓷纤维内衬中锚固件的材质和排布尺寸应符合设计规定。锚固件中心位置的允许偏差应为 0~5mm,相邻两个耐火陶瓷纤维模块的锚固件中心间距的允许偏差应为±5mm。用于陶瓷杯结构的扁形锚固件,其侧面应朝向一致。

16.2.13 当炉顶的炉管间采用耐火陶瓷纤维结构时,应用专用工具取芯下料,开孔位置应与炉管的安装位置一致。采用耐火陶瓷纤维层铺毯结构时,孔径应比炉管直径小 5mm~10mm,相邻两层耐火陶瓷纤维毯的安装插口应相互错开;采用耐火陶瓷纤维模块结构时,孔径应比炉管直径小 5mm。

16.2.14 耐火陶瓷纤维毯使用陶瓷杯固定时,孔口应使用特制工具加工。孔口直径应与陶瓷杯的小头外侧一致,深度应与陶瓷杯高度一致。陶瓷杯的拧进深度应相等,陶瓷杯边缘的沟槽朝向应一致。

16.2.15 模块与模块、模块与耐火砖、模块与贯穿柱之间应挤压紧密,透气缝应用相应等级的耐火陶瓷纤维毯填塞密实。

16.2.16 每个耐火陶瓷纤维模块的固定螺母应拧紧,不得遗漏。固定螺母应经逐个检查无误后,才可拆除绑扎带和套管。

16.2.17 一段转化炉的烟道墙和挡火墙砌体应湿砌,烟道孔洞的尺寸应符合设计规定。烟道盖板宜干砌,板与板之间应留设膨胀缝,尺寸不应超过 3mm。

16.2.18 炉底应最后施工,炉底和烟道底所用的隔热板、耐火砖均应干砌。一段转化炉炉底砖的上表面与下集气管隔热层之间的距离不应小于设计尺寸。

16.2.19 炉底由多层不同品种的隔热耐火浇注料组成时,应分层施工。下层隔热耐火浇注料表面不得压光。膨胀缝的留设应符合本规范第 4.3.5 条的规定,层与层之间的膨胀缝应错缝留设。

16.2.20 炉底、烟道底、排污管和热电偶管周围应按设计留设膨胀缝,缝内应填塞耐火陶瓷纤维毯。

Ⅱ 对 流 室

16.2.21 对流室墙板的隔热耐火浇注料宜在现场采用支模浇注法施工。预制时,墙板应水平放置并垫平。墙板在吊装及运输过程中应采取加固措施,墙板不得变形。

16.2.22 当隔热耐火浇注料的厚度超过 75mm 时,应按设计规定留设膨胀缝。

16.2.23 对流室墙板及对流室底板的内衬浇注宜分块进行,块与块之间应设置膨胀缝。膨胀缝应留成台阶形,膨胀缝内应填充耐火陶瓷纤维。内衬应密实,表面应平整,不得压光。

16.2.24 埋入内衬的金属件(含金属滑道、管板托架、管嘴、套管等)在施工前应按设计规定处理。当设计无规定时,宜包裹 2mm~4mm 厚的耐火陶瓷纤维纸。

16.2.25 当对流室采用模块化施工时,相邻模块之间应填充一层高铝质以上级别的耐火陶瓷纤维毯,厚度为相邻模块之间间隙的 1.5 倍。

16.2.26 对流室模块在预制期间,采用分片卧置施工时,应符合本规范第 16.2.21~16.2.24 条的规定。

16.2.27 对流室模块在预制期间,采用侧墙板与两端管板、中间管板组对成框后立置施工时,托底模板不得变形。内衬厚度方向应一次成型,侧墙板与端管板之间的内衬结构应符合设计规定。

16.2.28 炉墙采用穿砖结构时,固定杆不得变形,固定杆应牢固地插进托砖板上的固定套内。耐火砖固定后,不得有松动的砖块。

Ⅲ 输 气 总 管

16.2.29 输气总管内的隔热耐火浇注料宜在工厂预制,烘干后运至现场。

16.2.30 输气总管隔热耐火浇注料浇注前,应先在特制的、可拆卸的钢管内试浇注,经射线检查合格,即浇注料中的气孔不大于50mm时,才能正式浇注。

16.2.31 输气总管应安放在临时的支架上进行隔热耐火浇注料的浇注。浇注前,其水平度应符合设计规定。

16.2.32 输气总管锐角处的隔热耐火浇注料应填捣密实。经射线检查,隔热耐火浇注料中的气孔不得大于50mm。

16.2.33 安装前,内衬应按专门的烘炉制度烘干。

Ⅳ 烟囱、烟道、烟气收集器(集烟罩)、弯头箱

16.2.34 烟囱、烟道、烟气收集器(或集烟罩)、窥视孔盖内的隔热耐火浇注料,应在现场预制。烟囱、烟道、烟气收集器(或集烟罩)应垫平,并应采取加固措施。

16.2.35 烟气收集器(或集烟罩)内衬与对流室内衬之间的缝隙应预先填充耐火陶瓷纤维毯。

16.2.36 弯头箱框的内衬应在对流室炉管焊接并经检验合格后施工。弯头箱盖板内的内衬可在地面施工。

16.3 二段转化炉

16.3.1 出口管的隔热耐火浇注料应在筒体安装前浇注。浇注时,筒体应放在特制的辊轮上,浇注孔应朝上。浇注后应将管口封闭,自然养护。

16.3.2 浇注用钢模板应在炉外预组装和编号。安装下锥体钢模板时,支承处应焊接牢固。

16.3.3 隔热耐火浇注料应连续浇注,每次间断时间不宜超过30min。

16.3.4 隔热耐火浇注料浇注时,应沿筒体周边均匀下料,其自由下落高度不应超过1.3m。

16.3.5 隔热耐火浇注料浇注完后,应立即封闭上、下孔洞,自然养护。养护时间不应少于3d。

16.3.6 炉内砌体的砌筑施工应在隔热耐火浇注料烘干并经检查

合格后进行。

16.3.7 球形拱顶砖应在炉内逐层预砌筑。预砌筑时,砖缝应用相应厚度的纸板代替。

16.3.8 球形拱的拱脚表面、筒体中心线的夹角和拱脚砖的标高应符合设计规定。球形拱模板拆除后,应及时清理球形拱孔洞内的杂物,孔洞应畅通。

16.3.9 触媒保护层的异形砖应从中心开始平行干砌。带孔砖和无孔砖的位置应符合设计规定,砖层的上表面应平整。

16.3.10 带孔六角形耐火砖与隔热耐火浇注料之间应按设计规定留设膨胀缝。

17 工 业 锅 炉

17.0.1 本章适用于现场组装的工业锅炉。

17.0.2 锅炉各部位砌体砖缝的厚度应符合表 17.0.2 规定的数值。

表 17.0.2　锅炉各部位砌体砖缝的厚度

项次	部 位 名 称	砌体砖缝的厚度(mm) ≤
1	落灰斗	3
2	燃烧室： (1)无水冷壁 (2)有水冷壁	 2 3
3	前后拱、各类拱门	2
4	折焰墙	3
5	炉顶	3
6	省煤器墙	3
7	硅藻土砖	5

17.0.3 炉墙表面与管子之间间隙的允许偏差应符合表 17.0.3 规定的数值。

表 17.0.3　炉墙表面与管子之间间隙的允许偏差

项次	偏 差 名 称	允许偏差(mm)
1	水冷壁管、对流管束与炉墙表面之间的间隙	−10～20
2	过热器管、再热器、省煤器管与炉墙表面之间的间隙	−5～20
3	汽包与炉墙表面之间的间隙	−5～10
4	集箱、穿墙管壁与炉墙之间的间隙	0～10
5	水冷壁下联箱与灰渣室炉墙之间的间隙	0～10

17.0.4 锅炉的砌筑应在水压试验合格和检查验收后进行。所有埋入炉墙内的零件、水管和炉顶的支、吊装置的安装质量均应符合设计规定。

17.0.5 炉墙黏土耐火砖砌至设计高度后，应向外墙伸出115mm长的拉固砖。拉固砖在同层内应间断留设，上、下层应交错。

17.0.6 炉墙加工砖应使用专用工具加工，加工后砖的长度应大于原砖长的1/3。

17.0.7 当砌筑普通黏土砖外墙时，应准确留设烘炉排气孔。烘炉完毕后应将排气孔堵塞。

17.0.8 埋入炉墙内的骨架立柱、横梁与耐火砌体的接触面应铺贴耐火陶瓷纤维毯。

17.0.9 通过砌体的水冷壁集箱和管道以及管道的滑动支座不得固定。

17.0.10 炉墙拉钩砖的拉钩应保持水平。拉钩应按设计放置，不得任意减少其数量。

17.0.11 水冷壁拉钩处的异形砖不得卡住水冷壁的耳板，并不得影响水冷壁的膨胀。

17.0.12 耐火砌体(含耐火浇注料)中的锅炉零件和各种管子的周围应按设计规定留设膨胀缝。

17.0.13 砌体的膨胀缝应均匀平直，缝内应清洁，并应填以直径大于缝宽的耐火陶瓷纤维绳。炉墙垂直膨胀缝内的耐火陶瓷纤维绳应在砌砖时压入。

17.0.14 折焰墙的砌筑应符合下列规定：

    1 与折焰墙砌筑有关的管子应平整，其间距应符合设计规定。

    2 折焰墙与炉墙的衔接部分应留设膨胀缝，其尺寸允许偏差应为0～5mm。缝内应用耐火陶瓷纤维填塞严密。

    3 带有固定螺栓孔的异形砖应逐层干排预砌筑。固定螺栓焊接前，应在管子上标明螺栓孔的位置。

17.0.15 耐火浇注料内的钢筋和其他金属埋设件表面应清洁,其埋入部分的表面应涂沥青层。无法涂沥青的部位可包裹石油沥青油纸。

17.0.16 耐火涂抹料涂层较厚时,应分层涂抹。待前一层稍干后,才可涂抹次层。耐火涂抹料的表面应平整,不得有裂缝。

17.0.17 敷管炉墙的施工应先将炉墙排管平放,然后逐层浇注耐火浇注料和隔热浇注料,整体吊装应待浇注料经养护硬化后进行。

17.0.18 敷管炉墙的施工应符合下列规定:

1 敷管炉墙的管子弯头处不得布置固定铁件;

2 敷管炉墙的龟甲网间应连成一体,龟甲网与孔、门等处应连接牢固;

3 敷管炉墙固定铁件的压盖或者螺帽应压紧,固定铁件高出隔热层的距离不应超过15mm。

17.0.19 加工异形砖时,不得削弱主要受力处的强度。在修整吊挂砖的吊孔时,其配合间隙不应超过5mm。

17.0.20 炉顶与炉墙的接缝处应按设计规定施工并密封严密。

18 冬 期 施 工

18.0.1 当室外日平均气温连续 5d 低于 5℃时,宜进入冬期施工;当室外日平均气温连续 5d 高于 5℃时,宜解除冬期施工。

18.0.2 工业炉砌筑工程的冬期施工除应按本章规定执行外,还应符合本规范其他各章的规定。

18.0.3 冬期砌筑工业炉应在采暖环境中进行。

18.0.4 用水泥砂浆砌筑炉外烟道的普通黏土砖时,可采用蓄热法。

18.0.5 砌筑工业炉时,工作地点和砌体周围的温度均不应低于5℃。工业炉砌筑完毕不能随即烘炉投产时,应采取烘干措施,排尽炉衬内的水分。

18.0.6 耐火砖和预制块在砌筑前应预热至 0℃以上。

18.0.7 耐火泥浆、耐火可塑料、耐火喷涂料和水泥结合耐火浇注料等施工时的温度,均不应低于 5℃。黏土结合耐火浇注料、水玻璃耐火浇注料、磷酸盐耐火浇注料施工时的温度不宜低于 10℃。

18.0.8 冬期施工时,耐火泥浆、耐火浇注料的搅拌应在暖棚内进行。运距较远时,应采取保温措施。水泥、模板等材料宜事先运入暖棚内存放。

18.0.9 耐火浇注料的搅拌用水应加热,加热温度为:硅酸盐水泥耐火浇注料的水温不应超过 60℃,铝酸盐水泥耐火浇注料的水温不应超过 30℃。水泥不得直接加热。

18.0.10 耐火浇注料施工过程中不得另加促凝剂。

18.0.11 水泥耐火浇注料的养护可采用蓄热法或加热法。硅酸盐水泥耐火浇注料的加热温度不应超过 80℃,铝酸盐水泥耐火浇注料的加热温度不应超过 30℃。

18.0.12 黏土、水玻璃和磷酸盐耐火浇注料的养护应采用干热法。水玻璃耐火浇注料的加热温度不应超过 60℃。

18.0.13 喷涂施工时,耐火喷涂料和水应在混合前预热,喷涂料管、水管及被喷炉(或管)壳应采取保温措施。

18.0.14 冬期施工时,应做专门的施工记录,并应符合下列规定:

　　1 室外空气温度、工作地点和砌体周围的温度,加热材料在暖棚内的温度,不定形耐火材料在搅拌、施工和养护时的温度,应每隔 4h 测量一次;

　　2 全部测量点应编号,并应绘制测温点布置图;

　　3 测量不定形耐火材料温度时,测温表放置在料体内的时间不应少于 3min。

19 验收资料

19.0.1 工业炉砌筑完毕,应按本规范进行交工验收,并应办理交接手续。

19.0.2 交工验收时,施工单位应提供下列资料:

    1 交工验收证书;

    2 开工、竣工报告;

    3 工序交接证明书(其内容应符合本规范第 3.2.1 条的规定);

    4 材料的质量证明资料:包括各种材料质量证明文件、材料使用变更通知单、试验室的复检报告、不定形耐火材料的配制记录和检验报告,以及其他有关工程材料使用和异常情况处理等的文字记录;

    5 检验批、分项工程、分部(子分部)工程质量验收记录,质量保证资料核查记录及单位(子单位)工程质量竣工验收记录;

    6 工程质量问题的处理资料;

    7 技术联系单(含合理化建议);

    8 冬期施工记录;

    9 设计变更资料(含图纸会审记录);

    10 竣工图,简单的设计变更标注在施工图上作为竣工图,重大、复杂的设计变更需重新绘制竣工图;

    11 其他与业主方约定的交工资料。

19.0.3 工业炉内衬砌筑完毕后,应及时组织验收。

20 烘 炉

20.0.1 工业炉施工验收合格后,应及时组织烘炉。不能及时烘炉时,应采取相应的保护措施。

20.0.2 工业炉的烘炉应在其生产流程有关的机械和设备联合试运转合格后进行。

20.0.3 采用耐火浇注料等不定形耐火材料砌筑的工业炉内衬应按规定养护后,才可进行烘炉。

20.0.4 工业炉投产前,必须烘炉。烘炉前,必须先烘烟囱和烟道。

20.0.5 对于热风炉附属热风管道等工业炉辅助系统的管道内衬,其烘炉可随工业炉主体的烘炉同时进行,也可根据具体结构分区段进行。

20.0.6 以硅砖为主体的工业炉的烘炉,应确认其主体车间、辅助车间的竣工日期能够满足工业炉在规定烘炉期内立即投入生产的条件下才可进行。

20.0.7 工业炉的烘炉制度应根据工业炉的结构和用途、耐火材料的性能和施工季节等情况制订。

20.0.8 工业炉烘炉制度中的阶段性保温时间及总烘炉时间,应满足最长烘炉时间的材料的要求。

20.0.9 工业炉内衬的烘炉制度应包括下列内容:热源及供热方式、热源循环流向、温度检测系统、温度控制系统、温度控制曲线、水分检测系统、烘炉结束判定基准、操作规程、安全措施、应急预案、与热态工程配套的内容等。

20.0.10 工业炉烘炉应按烘炉制度进行。烘炉过程中应测定和绘制实际的烘炉曲线。烘炉后需要降温的工业炉,在烘炉曲线中应注明降温速度。烘炉时应做详细的记录。对发生的不正常现象应采取相应措施,并应注明其原因。

20.0.11 烘炉期间应观察护炉铁件和内衬耐火材料的膨胀以及拱顶的变化,可调节拉杆螺母控制拱顶的上升。对于大跨度拱顶,其上部应安设监测标志,跟踪检查拱顶的变化。

20.0.12 在工业炉烘炉过程中,当主要设施发生故障而影响其正常升温时,应立即保温或停止烘炉。待故障消除后,才可继续烘炉。

20.0.13 工业炉烘炉过程中所出现的缺陷应经处理后,才可投入正常生产。

20.0.14 全耐火陶瓷纤维内衬的工业炉可直接投入生产。当内衬使用热硬性粘接剂或表面涂刷有保护性覆盖层时,投产前应按规定的升温制度升温。

20.0.15 常用工业炉的烘炉时间可按本规范附录 B 的规定执行。

21 施工安全和环境保护

21.1 施 工 安 全

21.1.1 工业炉砌筑工程施工的安全技术应符合国家现行有关规定。

21.1.2 工业炉砌筑工程施工前应制订安全技术操作规程,进行安全教育。现场施工人员应佩戴劳动保护用品。

21.1.3 施工现场和仓库应设有消防水源、配备消防设施,并应定期检查。

21.1.4 易燃、易爆和有毒材料应分类存放在专用仓库内,并应设专人管理。库内应设置明显标志。在易燃、易爆区域内使用明火时,应采取防范措施。

21.1.5 施工现场应设置安全通道。危险区域应设置明显标志,危险区域内的通道上方应搭设保护棚。

21.1.6 施工区域及各运输通道应光线充足。

21.1.7 起重设备、机械设备和电器设备必须由专人操作,并应设专人检查和维护。

21.1.8 电气设备应接地。金属容器内、管道内、烟道内、吹风清扫等部位施工时,照明电压不应超过 36V。

21.1.9 高空施工所搭设的临时设施应牢固、可靠。高空施工时不得抛扔物品。

21.1.10 在有煤气、烟尘等有害气体的区域应采取防护措施,并应设专人测量有害气体和氧含量的浓度。

21.1.11 热态施工时应采取防护措施。

21.1.12 炉内施工应采取通风换气措施。高温施工时应采取防暑降温措施。

21.2 环 境 保 护

21.2.1 工业炉砌筑工程施工的环境保护应符合国家现行有关规定。

21.2.2 施工单位应建立环境保护、环境卫生的管理和检查制度。

21.2.3 工业炉砌筑工程施工中,应积极采用新材料、新工艺、新技术改善环境。

21.2.4 工业炉砌筑工程施工中,应采取措施控制施工现场的粉尘、废气、废水、固定废弃物以及噪声等。

21.2.5 施工现场主要道路应做硬化处理。

21.2.6 搅拌场所和砖加工场所等应采取措施控制扬尘。

21.2.7 对产生噪声、振动的施工机械,应采取降噪、隔离等措施。

21.2.8 施工现场不得焚烧会产生有毒、有害、有异味气体和烟尘的物质。

21.2.9 可回收再利用的固体废弃物应集中存放并及时清理回收。有毒有害的固体废弃物不得回填。

附录 A 耐火砌体常用的耐火泥浆

表 A 耐火砌体常用的耐火泥浆

项次	砌体名称	耐火泥浆	技术条件
1	高铝砖	高铝质耐火泥浆	GB/T 2994
2	黏土砖	黏土质耐火泥浆	GB/T 14982
3	黏土质隔热耐火砖	硅酸铝质隔热耐火泥浆	YB/T 114
4	高铝质隔热耐火砖		
5	硅藻土隔热制品		
6	炭砖	炭素泥浆	YB/T 121
7	硅砖	硅质耐火泥浆	YB/T 384
8	镁砖、镁铝砖、镁铬砖	镁质、镁铝质、镁铬质耐火泥浆	YB/T 5009

附录 B 常用工业炉的烘炉时间

表 B 常用工业炉的烘炉时间

项次	炉 子 名 称	烘炉时间(昼夜)
1	黏土砖(或高铝砖)、炭砖炉底的高炉	6~8
2	热风炉: (1)黏土砖、高铝砖的 (2)硅砖的	 6~7 40~45
3	大型焦炉	60~80
4	干熄炉	5~13
5	加热炉: (1)炉底面积 50m² 以下的 (2)炉底面积 50m² 以上的 (3)炉底面积 200m² 以上的	 3~6 5~8 16~20
6	闪速炉	30~40
7	炭素煅烧炉	45~60
8	玻璃窑炉	9~20
9	黏土砖或高铝砖的隧道窑	12~18
10	一段转化炉	5~6
11	二段转化炉	6~7
12	裂解炉	4~6
13	工业锅炉: (1)轻型炉墙 (2)重型炉墙	 4~6 14~16

注:1 表内所列时间不包括烟囱和烟道的烘烤时间;
　　2 焦炉日膨胀率在 400℃ 以下采用 0.03%~0.035%,400℃ 以上采用 0.035%~0.04%。

本规范用词说明

1　为便于在执行本规范条文时区别对待,对要求严格程度不同的用词说明如下:

1)表示很严格,非这样做不可的:

正面词采用"必须",反面词采用"严禁";

2)表示严格,在正常情况下均应这样做的:

正面词采用"应",反面词采用"不应"或"不得";

3)表示允许稍有选择,在条件许可时首先应这样做的:

正面词采用"宜",反面词采用"不宜";

4)表示有选择,在一定条件下可以这样做的,采用"可"。

2　条文中指明应按其他有关标准执行的写法为:"应符合……的规定"或"应按……执行"。

引用标准名录

《高铝质耐火泥浆》GB/T 2994

《耐火材料 热膨胀试验方法》GB/T 7320

《涂覆涂料前钢材表面处理 表面清洁度的目视评定》GB/T 8923

《粘土质耐火泥浆》GB/T 14982

《耐火泥浆 第1部分:稠度试验方法(锥入度法)》GB/T 22459.1

《耐火泥浆 第3部分:粘接时间试验方法》GB/T 22459.3

《硅酸铝质隔热耐火泥浆》YB/T 114

《炭素泥浆》YB/T 121

《硅质耐火泥浆》YB/T 384

《镁质、镁铝质、镁铬质耐火泥浆》YB/T 5009

《热风炉用高铝砖》YB/T 5016

《粘土质和高铝质耐火可塑料可塑性指数试验方法》YB/T 5119

中华人民共和国国家标准

工业炉砌筑工程施工与验收规范

GB 50211-2014

条 文 说 明

制 订 说 明

《工业炉砌筑工程施工与验收规范》GB 50211—2014，经住房城乡建设部 2014 年 11 月 15 日以第 659 号公告批准发布。

本规范是在《工业炉砌筑工程施工及验收规范》GB 50211—2004 的基础上修订而成。上一版的主编单位是武汉冶金建筑研究院，参编单位是冶金建筑研究总院、中国第一冶金建设公司、中国第五冶金建设公司、中国第二十冶金建设公司、中国第二十二冶金建设公司、宝钢冶金建设公司、武汉钢铁公司、鞍山钢铁公司、中国第七冶金建设公司、大冶有色金属公司、中国第四化建公司、中国建材建设邯郸安装公司，协编单位是武汉威林炉衬材料有限公司，浙江省长兴吉成工业炉材料有限公司，郑州豫华企业集团有限公司，辽宁佳益五金矿产有限公司，主要起草人是胡孝成、李世耀、孙怀平、袁海松、许嘉庆、薛乃彦、黄志球、王渝斌、谢朝晖、薛启文、杨渭煊、方信华、刘红浪、李文斌、毕占廷、甄殿馥、吴凤西、吴德谦、王忠祥、吴献华、刘大晟、舒旭波、方新目、胡景瑞、丁岩峰。

本规范在修订过程中，编制组进行了大量的工程实践调查研究，广泛总结了上一版规范的应用状况，参考了国外先进技术法规、技术标准。在此基础上，编制组结合我国工业炉砌筑工程领域的快速发展，经过反复讨论、修改，完成此次修订工作。

为便于广大设计、施工、科研院所、大专院校等工程技术人员在使用本规范时能正确理解和执行条文规定，《工业炉砌筑工程施工与验收规范》编制组按章、节、条顺序编制了本规范的条文说明。对条文规定的目的、依据以及执行中需要注意的有关事项进行说明（还着重对强制性条文的强制性理由作出解释）。但是，本条文说明不具备与规范正文同等的法律效力，仅供使用者作为理解和把握规范规定的参考。

目　录

1 总 则

1.0.1 本条为制订本规范的目的和意义。

1.0.2 工业炉砌筑工程的施工与验收均应遵守本规范中的共同规定(第 1、2、3、4、5、18、19、20 和 21 章)。本规范所列的各专业炉还应遵守专门章节的特殊要求。未列入本规范专门章节的一般工业炉可按本规范的共同规定施工与验收。如有特殊要求,应按设计规定执行。

2 术　语

2.0.1　工业炉指工业炉窑及其附属设备。工业炉砌筑包括定形耐火制品、不定形耐火材料和耐火陶瓷纤维等的施工。

2.0.2　指普通黏土砖、隔热砖、耐火砖、耐火预制块、耐火陶瓷纤维等砌成的实体及采用耐火浇注料整体浇注而成的实体。

2.0.3　耐火泥浆是耐火砖和预制块等定形制品的接缝或填充材料。粉状耐火材料在加入水或其他规定的结合剂后，用于铺砌和粘接定形制品、填充砖缝。

2.0.4　湿砌即使用湿状耐火泥浆的砌砖（或块）方法。

2.0.5　干砌包括砖（或块）与砖（或块）直接接触、砖（或块）缝中填充干耐火粉，有时夹垫垫片。

2.0.6　正式砌筑前，对砌体中复杂、要求高或异形砖砌体的部位，部分或全部进行的预组装或试砌筑。

2.0.8、2.0.9　水平缝和垂直缝的定义适用于水平砖层的砌体。即底、墙和环形砌体都有水平缝和垂直缝。

2.0.10　环砌拱（或拱顶）与交错拱（或拱顶）中的纵向缝也可称为放射缝。

2.0.12　错缝砌筑是指炉墙和炉底的垂直缝、交错拱或拱顶的横向缝交错砌筑的方式，可以提高砌体的整体强度。

2.0.13　为缓冲砌体升温时的膨胀，按规定预留的间隙。膨胀缝可均匀分散留设在砌体中或集中留设在砌体外。膨胀缝内按规定填（或不填）可烧掉物或可压缩物。

2.0.14～2.0.15　由于拱形结构具有可以承受自重和荷重而不致下陷的力学性能，因此将耐火砖砌成拱形结构，使承重和维护结构安全的功能融为一体。

拱的作用是在炉窑砌体中门或孔洞上方起过梁作用,使上部砌体不致塌陷。没有半径或拱高的拱称为平拱,是拱的一种特殊形式。

拱顶是工业炉中最薄弱的关键部位,它的质量关系到工业炉的使用寿命,砌筑时应特别注意。拱顶的上部除密封层、隔热层外,一般没有其他砌体。

2.0.16 不同材质及结合剂的耐火浇注料、耐火可塑料及耐火喷涂料等不定形耐火材料施工后,根据设计、施工规范或产品使用说明书规定的环境(干燥养护、潮湿养护或蒸汽养护)、温度、时间等条件进行养护。

2.0.17 烘炉强调两点:

(1)温度曲线指温度-时间曲线,包括升温、保温和降温阶段;

(2)烘炉包括干燥和加热的过程,不应忽视大量水蒸气排出的干燥过程。

3 基 本 规 定

3.1 材料的验收、保管和运输

3.1.2 不定形耐火材料的品种、牌号繁多,施工要求也不尽相同。为有效地指导施工,每一牌号产品应具有详尽的产品使用说明书。有时效性的材料具有一定的储存期限,超过期限后不得使用,故要求注明有效期限。

3.1.3 施工单位一般不负责检验,"必要时"是指影响到施工或合同规定时,应送试验室做理化指标检验。

3.1.4 当耐火浇注料等材料超过保质期或淋雨受潮有可能变质时,应对其理化指标进行检验,检验结果符合设计规定时才能使用,否则应报废处理。拆炉回收的耐火砖通过甄选、检验和适当处理,在不影响砌体质量的前提下,可砌在工业炉的烟道、炉底挡火墙、烟囱底部挡烟墙等次要部位。

3.1.5 耐火材料仓库及通往仓库和施工现场的运输道路的提前建成,可减少和避免材料的二次倒运,是保证材料质量的一项重要措施。

3.1.6 按牌号、砖号、等级和砌筑顺序放置耐火材料,主要是为了有序地组织施工,避免二次倒运。

3.1.7 不定形耐火材料、结合剂和耐火陶瓷纤维及制品在运输和储存的过程中,易受潮变质,且杂质混入后不易清除,影响材料的使用性能。故本条强调应防雨、防雪、防潮,并不得混入杂质。对于易冻结的耐火材料,应采取防冻措施。否则一旦冻结,将会影响其使用。

3.1.8 本条依据现行国家标准《定形耐火制品包装、标志、运输和储存》GB/T 16546 规定的"制品经检验符合产品标准后,储存在带盖仓库内;不得受潮,雨淋"提出。强调硅砖、刚玉砖、镁质制品、炭素制品、含炭制品、隔热制品等均应存放在仓库内。用于重要部位的高铝砖、黏土耐火砖也应存放在仓库内,防止受雨水浸淋和杂质污染后,影响炉衬质量。在实际施工过程中,用于非重要部位的高铝砖、黏土耐火砖,可储存在露天砖库内或在砖堆上设置临时的防雨设施。

3.1.9 镁质耐火材料等如储存在有盖的仓库内而未采取防护措施,也会受潮变质。故条文强调应采取防护措施,不得受潮。在南方潮湿地区,这类材料的存放时间不宜过长。

3.1.10 采用集装方式运输,可以提高装卸作业的机械化水平,减少耐火材料的破损。

3.2 施 工

I 一 般 规 定

3.2.1 按基本建设施工程序,工序间交接时,对上一工序的建筑结构工程和隐蔽工程应及时进行质量检查验收并办理中间工序交接手续。否则不得开始下一道工序的施工。筑炉工程一般是工业炉系统工程中的最后一道工序。做好炉体基础、炉体钢结构和有关设备安装的检查交接工作,是加强系统工程质量管理的重要组成部分。条文中所列工序交接证明书的内容是历年来施工经验的总结,对保证筑炉工程质量、延长工业炉使用寿命等起着重要作用。

3.2.2 本条为耐火砌体按砌筑精细程度分类的定义。

3.2.3 工业炉砌体砖缝的厚度应根据工业炉的部位和使用条件确定。根据施工质量标准、砌筑的精细程度和施工经验,规定了一般工业炉各部位砌体砖缝的厚度。对砖缝厚度有特殊要求的部位或工业炉,应由设计规定。外部普通黏土砖是指"红砖"。

3.2.5 当耐火制品的外形扭曲和尺寸偏差无法满足砌体的砌筑质量要求时,条文规定:对于特类砌体,强调先精细加工(加工精度

0.15mm～0.25mm),然后按厚度和长度选分;对于Ⅰ类砌体,先按厚度和长度选分,当砖的外形、尺寸偏差达不到要求时,则应进行加工;当通过选分达不到Ⅱ类砌体的砌筑标准时,条文规定"必要时可加工"。

3.2.6 对于工业炉复杂而重要的部位,预砌筑是一项必不可少的工序。通过预砌筑,可以检查耐火制品的外形尺寸能否满足砌体的质量要求;提供加工的依据和各种不同偏差的耐火砖相互搭配的方法;审查设计图纸和耐火制品是否有误;检查耐火泥浆的砌筑性能;便于施工人员进一步了解炉体结构和掌握施工要领。

3.2.7 本条强调按设计要求由仪器测量确定工业炉的中心线和主要标高控制线,是为了减少测量误差,保证砌体的几何尺寸准确。

3.2.8 砌体内的金属埋设件因无法补装,如砌筑时不及时安装,势必造成返工。

3.2.9 条文强调按设计规定仔细留设间隙,是为了确保投产后传送装置能正常运转。施工时,该间隙尺寸一般不得留成负偏差。

3.2.10 条文强调砌体在施工直至投产前的全过程中,都应预防受湿。当砌体受到水淋或浸泡时,砖缝内耐火泥浆会被溶蚀,形成空缝,砌体结构强度降低。此外,砌体受湿后含水量增加,给烘炉带来困难。

3.2.11 错缝砌筑能增加砌体的结构强度,保证其整体性,是砌筑的基本要求。

3.2.12 耐火泥浆饱满是砌筑质量的重要指标之一。生产实践表明,内衬的破坏首先从砌体的砖缝处开始。砖缝是砌体的薄弱环节,湿砌时所有的砖缝均应耐火泥浆饱满,不得有空缝、花脸。对砌体表面进行勾缝,可以将砖缝内的耐火泥浆压实,使空缝得以弥补。

3.2.13 直接在砌体上砍凿耐火砖,会使干涸后的耐火泥浆与耐火砖脱离,导致砌体被震活,破坏其整体性。强调"直接"二字,是因为某些非重要的砌体,允许垫木块或砖块手工加工耐火砖。

3.2.14 留设阶梯形斜槎后再继续砌砖,能使砌体砖缝内的耐火泥浆饱满,保证砌体的整体性和结构强度。留设阶梯形斜槎也便于检查墙面的平整度。一般情况下,不应留设直槎。

3.2.15 经过砍凿加工,原砖面部分被削掉。加工面和有缺陷的表面直接承受熔体或渣侵蚀及烟气流冲刷的能力显著下降。朝向炉膛或炉子通道的工作面时,砌体容易损坏,一般不应这样做。鉴于某些墙拐角处的砌体,设计采用直形砖砌筑,又非加工不可的情况,条文强调"不宜"。

3.2.17 耐火制品的线膨胀与耐火砌体的线膨胀关系密切,但又不尽相同。砌体的线膨胀包括耐火制品的线膨胀与砖缝(含耐火泥浆)的线膨胀。根据耐火制品的线膨胀数值,结合生产、施工的实践经验,条文将几种最常用的耐火砌体每米膨胀缝的平均数值列入其中。

3.2.18 砌体膨胀缝的留设位置应由设计规定。当设计没有规定时,根据实践经验,膨胀缝的位置应避开三叉口等受力部位、砌体中的孔洞等。

3.2.19 为了避免熔体或渣的渗透及烟气的窜漏,同时使外层砌体、炉壳不直接接触火焰和承受高温,砌体内、外层的膨胀缝不应互相贯通。为了加强砌体的整体性,上、下层膨胀缝宜错开,尽可能避免通缝。条文强调"宜",是因为有特殊情况存在。

3.2.20 为了避免熔体或渣的渗透及烟气的窜漏,该处砌体隔热耐火砖应用耐火砖替代,拱顶的贯穿膨胀缝应用耐火砖(或块)覆盖。

3.2.21 如果膨胀缝留设不均匀、不平直,或者掉入砖屑等杂物,则无法均匀地吸收烘炉和生产时砌体的膨胀,严重时还可能导致砌体变形,甚至破坏。为防止膨胀缝内掉入砖屑等杂物,缝内应按规定填入皱纹马粪纸、发泡苯乙烯等填充材料。

3.2.22 条文规定留有间隙是为了吸收下部砌体烘炉、生产时向上的膨胀。

3.2.23 为了满足水平膨胀缝的尺寸和在托砖板下面的位置,可以改变砖缝的厚度或加工托砖板下面的两层砖,加工后耐火砖的厚度不应小于原砖厚度的 2/3。

3.2.24 砌体受热膨胀后的位置应与固定在炉壳上的冷却板、金属烧嘴、看火孔和热电偶等的位置相互匹配,设计和施工单位应予以重视。

3.2.25 为避免建(构)筑物不均衡下沉对建(构)筑物及设备造成损害,在基础内应设置沉降缝,并沿此缝垂直地向上延伸,在建(构)筑物和砌体内也相应地留设沉降缝。例如,在烟道与烟囱的连接处应设置沉降缝。砌体内沉降缝的填充材料可根据烟气流和地下水位等情况,分别采用耐火陶瓷纤维、沥青或其他填料。

3.2.26 当砌体的砖缝厚度符合要求时,可能出现由于砖面的凹凸或缺棱造成局部砖缝厚度超过规定的现象。因此,将塞尺插入深度放宽至 20mm 作为检查砖缝厚度的标准。

3.2.27、3.2.28 这两条适用于砌筑时的检查(自检、互检和专业检查)、中间检查和交工验收时的检查。砖缝厚度和耐火泥浆饱满度是衡量砌体质量的两项重要指标。耐火泥浆饱满度的具体数值是根据多年施工实践确定的。耐火泥浆饱满度的检查应是抽查性质,当检查合格后,不宜再频繁地进行。条文强调砌砖时"应及时检查"砖缝厚度和耐火泥浆饱满度,以示与验收检查的区别。有熔体或渣侵蚀的部位是指在常压条件下工作的部位。本条对砌体砖缝厚度的验收检查作出统一规定,作为对砌体进行中间质量检查和交工验收的依据,不足 5m² 面积的炉子按 5m² 计。在做中间检查和交工验收检查时,被检查的位置应是随机的。特类砌体因工况条件苛刻,对砖缝厚度要求严格,故另行规定检查验收标准。

Ⅱ　底　和　墙

3.2.29 底层找平是确保上面几层砌体横平竖直的先决条件。砌筑炉底前,应先找平基础。必要时,可通过加工第一层耐火砖找平。不得借助加大砖缝或加工找平最上一层耐火砖的方法找平炉底。反拱底砌体砌在弧形面的底基(耐火捣打料、耐火浇注料、加工砖等)上。该弧形面是否准确,直接影响反拱底的砌筑质量,故应用弧形样板找正。

3.2.30 根据设计要求,确定炉底与炉墙的砌筑顺序。先砌炉底后砌炉墙为死底,反之为活底。

3.2.31 按规定的尺寸仔细留设间隙是为了确保可动炉底生产时能正常运行。该间隙尺寸一般为正偏差。

3.2.32 工作层因退台或错台砌筑,其下部所形成的空隙采用相应材质的耐火浇注料、耐火可塑料或耐火捣打料填实并找平,比用加工尖角砖的方法砌筑质量好、进度快。

3.2.33 反拱底的中心比四周低。砌筑时,必然从中心向两侧对称砌筑。

3.2.34 条文强调最上层砖的长边方向(长缝方向)应与炉料、熔体、渣或气体等的流动方向垂直或成一交角,主要是为了增强砌体对炉料、熔体、渣以及烟气流的抗侵蚀、抗冲刷的能力,延长炉子的使用寿命。

3.2.35 通过拉线的砌筑方法,保证炉墙砌体横平竖直。

3.2.36、3.2.37 根据施工经验,当炉壳的中心线垂直偏差和半径偏差符合炉内形要求时,以炉壳为导面砌筑圆形炉墙或卧式圆形砌体,其偏差不会超过一般工业炉砌筑的允许偏差。

3.2.38 弧形墙不同于直形墙,不能立标杆拉线砌筑。故应按弧形样板放线砌筑,并用样板控制墙的几何尺寸。以炉壳为导面砌筑弧形墙则属于另外一种情况。

3.2.39 砖槽的受拉面应与挂件靠紧。否则挂件不受力,无法起作用。砖槽的其余各面与挂件间应保留间隙,不得卡死,是为了确保砌体受热膨胀不受阻。

3.2.40 拉砖钩只有平直地嵌入耐火砖内并不得一端翘起,才能将耐火砖拉紧。拉砖杆的作用是增加炉墙砌体的整体性和稳定性,并且通过拉砖钩将炉壳钢板和炉墙砌体连接在一起。本条中的四款要求是保证炉壳钢板、拉砖杆、拉砖钩和砌体连接成整体的基本条件。

3.2.41 拉砖钩(或锚固钩)位于隔热耐火砖的中间时,受力才均衡。施工中拉砖钩(或锚固钩)如遇到砖缝或膨胀缝,拉砖钩(或锚固钩)基本失去作用。因此,条文规定将拉砖钩(或锚固钩)水平转动一个角度,使其嵌入处与砖缝或膨胀缝之间的距离不小于40mm。

3.2.42 圆形炉墙一般采用楔形砖和直形砖配合砌筑。重缝不可避免,但应尽量减少,并不得集中在一起。砖缝与砖缝之间的最小距离一般控制在 10mm～30mm,施工中可根据具体情况灵活掌握。

3.2.43 拱脚砖下的炉墙上表面的表面平整偏差见表 3.2.4 的规定。砌筑拱脚砖前,应按中心线找齐两侧炉墙,使其跨度符合设计尺寸。防止拱脚面偏扭是保证拱和拱顶砌筑质量的重要措施。

Ⅲ 拱 和 拱 顶

3.2.44 拱胎及其支柱是拱和拱顶砌筑的关键,如其支撑强度不能满足使用要求,将会导致拱和拱顶塌陷,严重时还会造成安全事故。本条为强制性条文。

3.2.45 为保证拱和拱顶砌体的放射缝与半径方向相吻合,内表面平整,强调制作的拱胎应符合设计弧度,胎面应平整。板条宽度及其相互间间隙的大小取决于拱的跨度、砖的外形尺寸、是否便于检查砌体下部的砖缝厚度等因素,不宜作出具体规定。

3.2.46 本条是砌筑拱顶的基本要求。如果拱脚梁与骨架立柱没有靠紧或骨架和拉杆未经调整固定就砌筑,当打完锁砖、拆除拱胎后,拱顶可能松动、散架,甚至坍塌。

3.2.47 拱脚表面平整、角度正确,是确保拱的砌筑质量的基本要求。用加厚砖缝的方法找平拱脚会导致拱脚砖砌体受力不均衡。

3.2.48 砌筑拱和拱顶时,由于拱砖的自重和打入锁砖的原因,在两侧拱脚的方向会产生水平推力。为了确保安全和砌筑质量,要求拱脚砖后面的砌体应先于拱和拱顶砌筑,避免拱和拱顶的砌体因无支撑而产生位移,甚至坍塌。隔热耐火砖和硅藻土砖的强度较低,条文规定耐火砖拱顶的拱脚砖后面不得砌筑隔热耐火砖或硅藻土砖。

3.2.49 除有专门规定外,拱和拱顶一般错缝砌筑,故条文采用"宜"。沿拱和拱顶的纵向缝拉线砌筑并保持砖面平直,是防止拱和拱顶砌体收口时出现偏扭、减少锁砖加工量的重要措施。

3.2.50 拱和拱顶上部找平层的加工砖用相应材质的耐火浇注料代替,可以避免砖加工。

3.2.51 跨度不同的拱和拱顶"宜环砌"意味着特殊情况下可采取错缝砌筑的方式。

3.2.52 拱和拱顶从两侧拱脚同时向中心对称砌筑,能保证拱胎受力均衡,避免出现偏重现象。砌筑拱和拱顶时,拱砖大小头倒置将导致"抽签",破坏整个拱和拱顶。

3.2.53 拱和拱顶的放射缝与半径方向相吻合,能避免砌体内表面出现错牙,并获得正确的内形,拱内受力情况也最为理想。由于拱和拱顶的跨度不同,以及耐火砖形状尺寸的标准化,大部分拱和拱顶砌体内需要夹入一定数量的直形砖或两种楔形砖混合使用。因此,局部放射缝可能不通过圆心。但是,几块砖组合起来,其放射缝还是应该有规则地趋近圆心。条文规定拱和拱顶的内表面应平整,不仅整齐美观,而且使得生产过程中的气流顺行,减少涡流损失,同时说明砌体的放射缝与半径方向基本上是吻合的。

3.2.54 按中心线对称均匀分布锁砖,是为了打入锁砖时,拱和拱顶的砌体受力均衡。锁砖的作用是为了加强砌体的紧密性,减少拱砖的下沉量。锁砖的数量与拱和拱顶跨度的大小应有一定的关系。跨度越大,锁砖应越多。根据施工经验,条文规定跨度 3m 以下的拱和拱顶每环应打入 1 块锁砖,跨度 3m~6m 每环应打入 3

块,跨度 6m 以上每环应打入 5 块。

3.2.55 锁砖砌入拱和拱顶内的深度应适宜。砌入过深起不到锁砖的作用,砌入太浅锁砖则打不下去或将锁砖打坏。"同一拱和拱顶内锁砖砌入的深度应一致","两侧对称的锁砖应同时均匀地打入",都是为了使拱和拱顶砌体受力均衡。

3.2.56 打入锁砖时,锁砖本身不仅受到垂直向下的打击力,还受到两侧砌体阻止其嵌入的挤压力。若锁砖加工得太薄,则极易打断。故条文规定不得使用小于原砖厚度 2/3 的锁砖。为防止拱和拱顶砌体的收口部位出现扭斜的情况,条文规定不得采用加工长侧面使大面成楔形的锁砖。合门砖尺寸不一,需要逐块加工。

3.2.57 采用金属卡钩和拱胎相结合的方法砌筑球形拱顶是成熟的施工方法。条文强调逐环砌筑并及时合门,留槎不宜超过三环,是保证砌体质量和施工安全的需要。对于球形拱顶的上半部,尤为重要。砌筑时,应经常检查砌体的几何尺寸和放射缝的准确性,以控制球形拱顶内表面的弧度。

3.2.58 如果吊挂平顶的吊挂砖从两侧向中间砌筑,由于砖的外形尺寸的偏差等因素,合门时必将需要加工锁砖或放大砖缝,不利于控制砌筑质量。因此条文规定应从中间向两侧砌筑。吊挂砖的耳环上缘与吊挂小梁之间的间隙用薄钢片塞紧,是为了防止该吊挂砖产生"抽签"而形成凸台。对吊挂砖进行预砌筑、选分和编号,其目的是检查外形尺寸是否能满足砌筑的要求,并确定不同偏差的耐火砖的搭配方案。

3.2.59 吊挂砖用于较重要的位置。如果吊挂砖的主要受力处出现横向裂纹,生产时吊挂砖可能断裂或脱落,导致漏气蹿火,影响正常生产。

3.2.60 吊挂砖属异形制品。为防止砌体漏气蹿火,规定砌完后应在炉顶上面用耐火泥浆灌缝。

3.2.61 具有吊杆、螺母结构的吊挂砖砌完后,应及时将吊杆的螺母拧紧。其目的是使其定位紧固,不致因松动而产生"抽签"。

3.2.62 条文强调环砌的吊挂拱顶,每环砖应保持平直,避免合门处出现偏扭、倾斜等现象。

3.2.63 各环锁紧度一致可使整个拱顶受力均衡。拱胎拆除后,拱顶的下沉也比较均匀。

3.2.64 一般而言,跨度大于 5m 的拱胎拆除以后,拱顶都会产生不同程度的下沉。太大的下沉量将导致拱顶砌体变形,结构强度降低。为此,规定设置测量拱顶下沉的标志,做好下沉记录,具有重要意义。此外,该下沉标志亦可作为烘炉时观测拱顶上升的基准点。

3.2.65 为了确保安全,必须在锁砖全部打紧、拱脚处的凹沟砌筑完毕,以及骨架拉杆的螺母最终拧紧以后,才可拆除拱胎。本条为强制性条文。

Ⅳ 管　道

3.2.66 为了保证管道内衬的设计厚度、不加工耐火砖,砌筑时应以管壳为导面。当管壳内有喷涂层时,可将喷涂层找圆,并以此为基础来控制砌体的内径。

3.2.67 只要现场条件许可,管道内的砌体不论管道直径大小均可在地面上分段砌筑或浇注。并强调当管道砌体的直径小于 600mm 或矩形断面小于 500mm×600mm 时,因操作空间小、难于砌筑,应采取在地面上分段砌筑或浇注的方法。

3.2.68 环形管道系由多段管壳焊接而成,其横截面呈多边形。当管道内衬以管壳为导面分段砌筑时,各段管壳的接焊缝处的内衬应相应砌成直缝,并仔细加工耐火砖。

3.2.69 管道各岔口处采用耐火浇注料,施工简单方便,效果良好。采用组合砖可以减少现场砖加工,提高砌体的质量。

Ⅴ 烟　道

3.2.70 根据设计规定和施工经验,强调烟道拱顶应错缝砌筑。但锥形拱等部位的拱顶只能环砌。

3.2.71 掺入水泥主要是使耐火泥浆凝固且有一定的强度,增强耐火泥浆抗地下水浸泡、冲刷的能力。

3.2.72 在砌筑没有混凝土墙的地下烟道时,应首先完成墙外的回填土,然后砌筑拱顶。回填土能吸收拱顶砌体因自重产生的水平推力,保证安全。当烟道墙较薄或较高时,墙外回填土的夯实容易使墙体出现位移。故条文强调应采取防止向内倾倒的措施,如在烟道内壁支设木支撑等。

3.2.73 烟道闸门附近的砌体应按设计留设间隙,避免安装闸门时加工砌体。当采用回转闸门时,为便于生产时闸门能回转自如,回转闸门底座的上表面应略高于烟道底的上表面。

3.2.74 当采用具有框架结构的烟道闸门时,如果先砌砖后安装框架,则无法保证砌体的质量。本条强调闸门框架安装定位后再砌筑。设计未规定两者之间的间隙时,应用稠耐火泥浆填实,使之接合严密,与框架接触的耐火砖应仔细加工。

4　不定形耐火材料

随着技术的进步和耐火材料的发展,为了适应工况条件的改变,延长窑炉寿命,在窑炉新建和后期的维护中,压浆技术得以快速发展。故本次修订新增"耐火压浆料"一节。为了满足环保要求,改善操作条件,降低粉尘污染,减少材料消耗,湿法喷涂技术广泛应用。故本章第4.6节增加有关"湿法喷涂"的内容,对适用于"半干法喷涂"和"湿法喷涂"的条文分别作出明确的规定。同时,将原规范第3章中"耐火泥浆"的内容调整至本章第4.2节。原条文第4.2.2条、第4.3.2条和第4.4.8条涉及模板的内容为通用条文,故将内容合并后调整为第4.1.6条。原条文第4.1.4条和第4.1.5条涉及耐火浇注料预制件的内容调整至第4.3节。

4.1　一　般　规　定

4.1.1　不定形耐火材料受到污染或潮湿变质,施工性能及施工后内衬的质量会受到影响。对于未搅拌均匀的不定形耐火材料,若包装袋破损、材料明显外泄,剩下材料的级配就不准确,不得再用。

4.1.2　为了使钢结构和设备与不定形耐火材料之间有良好的附着力,应除去其表面的浮锈、油污等杂物。若设计对除锈等级提出要求,还应按设计规定除锈。

4.1.3　额外加入水或其他添加物,虽有利于施工,但会影响耐火材料的理化性能。

4.1.4　本条为新增条文。为了保证耐火材料产品的性能均一,添加的钢纤维、外加剂等应搅拌均匀。

4.1.5　使用海水、含有有害杂质的水等,一方面会影响不定形耐火材料的施工性能及硬化过程,另一方面会降低不定形耐火材料的高温特性,达不到设计指标。

　　例如,配制掺有外加剂的耐火泥浆时,其搅拌水中氯离子(Cl⁻)浓度的高低是影响耐火泥浆粘接时间的重要因素。氯离子(Cl⁻)浓度越高,耐火泥浆的粘接时间越短,不利于砌筑。其次,耐火泥浆的常温抗折粘接强度随氯离子(Cl⁻)浓度的增高而降低。500mg/L 为转折点,一般控制在 300mg/L 以内。故条文规定不定形耐火材料用水的氯离子(Cl⁻)浓度不应超过 300mg/L。

4.1.6 为了防止施工过程中模板变形、位移、漏浆,模板应具有足够的刚度和强度,安装牢固,能够抵抗强烈的冲击力。本条为强制性条文。

4.1.7 锚固砖、吊挂砖是内衬与钢结构之间荷载力的传递元件。如果某块锚固砖或吊挂砖有裂纹等缺陷,尤其是主要受力处有横向裂纹,该块锚固砖或吊挂砖可能在拉力和剪力的作用下断裂。断裂之后,它所负担的荷载将转移到相邻的锚固砖或吊挂砖上,形成超载,其危险性是显而易见的。因此应严格检查,保证所有埋入内衬的锚固砖或吊挂砖都合格。

4.1.8～4.1.10 条文规定是为了保证每一块锚固砖或吊挂砖都能均匀受力,避免个别砖因超载而断裂。锚固钩等金属件高温下会失去强度或因变形过大而松弛。为避免温度过高,其四周不得填料,便于散热。

　　锚固砖或吊挂砖预先湿润,可防止其从耐火浇注料或耐火喷涂料中吸收水分,避免料体因局部干燥过快而开裂。

4.1.11 锚固砖或吊挂砖是集中传力元件,其损坏会导致炉顶坍落、炉墙倾斜等事故。因此,施工中应注意保护,防止振捣工具将其损坏。

4.1.12 不定形耐火材料内衬的尺寸允许偏差应根据炉种及部位在施工方面、投产后工艺方面的要求而定,故原则上应与耐火砖内衬的要求相一致。但在不定形耐火材料中,某些材料如耐火可塑料、刚喷涂完的耐火喷涂料等容易修整到指定的尺寸;而另外一些材料,如水硬性耐火浇注料等,拆模后则不易修整,故可参照对耐火砖内衬的要求确定。

4.2 耐 火 泥 浆

4.2.1 耐火砌体砖缝内耐火泥浆的工作条件与耐火砖完全相同,如工作温度、熔体或渣的侵蚀以及烟气流的冲刷等。因此,耐火泥浆的主要技术指标(耐火度、化学成分)应略高于耐火砖或与之相同。

4.2.2、4.2.3 影响耐火泥浆砌筑性能的因素很多,诸如耐火泥浆的粒度、结合黏土的加入量、外加剂、加液量和耐火制品的吸水性等。因此条文强调耐火泥浆砌筑前,应根据砌体类别,通过试砌确定其稠度和加液量,并检验该耐火泥浆的砌筑性能,主要是粘接时间。根据我国国内大量的工程实践,耐火泥浆的粘接时间以1.0min～1.5min 为宜。

4.2.4 表 4.2.4 的稠度值系参照国内工程的实践和试验数据而制订。根据现行国家标准《耐火泥浆 第 1 部分:稠度试验方法(锥入度法)》GB/T 22459.1,锥入的深度作为稠度值,精确至0.1mm。即稠度 320 的耐火泥浆,其锥入深度为 32mm。

4.2.6 鉴于在施工现场配制耐火泥浆不易准确且混合不匀,条文强调应采用成品泥浆。根据施工经验,耐火泥浆粒径偏大时,砖缝厚度不易保证。故规定耐火泥浆的最大粒径不应超过规定砖缝厚度的 30%。

4.2.8 不同牌号的耐火泥浆如果混用搅拌机和泥浆槽等机具,其砌筑性能和高温性能会受到影响。大型筑炉工程中,耐火泥浆品种多,容易混淆,应特别注意。

4.2.9 水泥耐火泥浆为水硬性泥浆,水玻璃耐火泥浆为气硬性泥浆,镁质耐火泥浆为化学结合泥浆。这三种耐火泥浆搁置一段时间会呈现硬化,故规定搅拌后应及时使用。性能类似的其他耐火泥浆也应符合本条规定。如果耐火泥浆呈现初凝,砌筑时则丧失强度,不能使用。因此,配制好的耐火泥浆应在初凝前用完。

4.3 耐火浇注料

4.3.1 为防止与隔热砌体接触的耐火浇注料被吸走大量水分后强度降低,规定隔热砌体的表面应采取防水措施。

4.3.2 耐火浇注料中往往含有相当多的超细粉,混合加水后黏性大,应采用强制式搅拌机搅拌。耐火浇注料中外加剂使其对搅拌时间和加液量非常敏感。充分的搅拌时间和适宜的加液量能保证浇注料具有应有的流动性,并获得最佳性能。

4.3.3 耐火浇注料的初凝时间受施工中环境温度、搅拌时间等因素的影响,通常要求在 30min 内浇注完毕。当气温较高或有特殊要求时,应按产品使用说明书的要求执行。

　　已初凝的耐火浇注料已经发生物理变化和化学变化,搅拌后再次使用会影响砌体的性能和施工质量。

4.3.4 耐火浇注料与钢筋或金属埋设件的膨胀系数相差很大,尤其是钢筋较长或金属埋设件较大时,会在耐火浇注料衬体内部产生很大的膨胀应力,甚至破坏耐火浇注料。钢筋或金属埋设件设在非受热面,可以降低其工作温度,使其对耐火浇注料的不良影响降至最低。设置膨胀缓冲层可以减小膨胀应力。

4.3.5 由于耐火浇注料原料及生产技术不同,其在加热过程中呈现的线性膨胀变化也不同,故膨胀缝的设置应由设计规定。当设计对膨胀缝没有规定时,可根据现行国家标准《耐火材料　热膨胀试验方法》GB/T 7320 的检验结果设置。本条所列数据是根据多年来施工检测的线膨胀系数值计算而得,经实践证明是可行的。

4.3.6 为保证耐火浇注料密实,一般采用振动棒或平板振动器。特殊情况下,可采用附着式振动器或人工捣固。本次修订将"插入式振捣器"修改为"振动棒",表达更明确。

4.3.7 隔热耐火浇注料采用机械振捣易使耐火浇注料体积密度增大,隔热效果降低。施工时应采取控制振幅、振动时间等相应措施。

4.3.8 本条规定是为了保证施工后的耐火浇注料具有良好的整体性。施工缝应留在同一排锚固砖的中心线处,由锚固砖隔断,从而增强其整体性。

4.3.9 耐火浇注料因结合剂不同,养护的方法和要求条件也不同。施工人员应按设计规定的方法和产品使用说明书养护。养护期间,浇注料强度逐渐增加,应防止外力或振动对其造成破坏。

4.3.10 耐火浇注料的硬化与温度等关系密切,不宜规定拆模时间。对于承重模板,只有当耐火浇注料的强度达到设计强度的70%以上,能承受本身的荷载时,才可拆模。本条为强制性条文。

4.3.11 本条为耐火浇注料施工时留置试块的规定。正常情况下,一般只检验烘干强度。当烘干强度值异常时,宜按现行的有关标准执行。

4.3.12 耐火浇注料表面的剥落、裂缝、孔洞等缺陷,会导致使用过程中出现蹿火、漏气、整体结构强度低等隐患,严重时还会影响正常生产及安全。而干燥过程中出现的一些表面微裂纹不会对砌体的整体质量构成影响,故允许存在。

4.3.13 标记明显清楚可避免误放、误拿,有利于施工现场的管理。

4.3.14 耐火浇注料预制件遇水或受潮后,强度降低,其质量会受到影响。

4.3.15 耐火浇注料预制件的常温强度不高,码放时应避免因预制件支承的位置和方法不当,产生应力集中,损坏预制件。

4.3.16 起吊耐火浇注料预制件时,预制件将承受动荷载,故要求强度达到设计规定。

4.3.17 吊挂砖是炉顶耐火浇注料预制件中的重要部分,如在实际操作过程中吊挂砖受损,会影响炉顶的使用寿命。

4.4 耐火可塑料

4.4.1 耐火可塑料的可塑性指数是否符合要求直接影响可塑料

的施工性能。因此,施工前应按现行行业标准《粘土质和高铝质耐火可塑料 可塑性指数试验方法》YB/T 5119 检查耐火可塑料的可塑性指数。

4.4.2 本条规定捣打前吊挂砖端面与模板之间的间隙是为了保证吊挂砖楔紧,锚固钩能拉紧受力。规定捣打后的间隙是要求模板具有足够的刚度和强度。

4.4.3~4.4.5 条文根据施工经验总结制订。为保证耐火可塑料衬体的质量,应按条文要求施工。

4.4.6 捣固体内部是一个分层结构,分层面垂直于捣打方向。本条规定是为了使分层面垂直于受热面,否则加热时温度梯度易使内衬沿分层面剥落。捣打炉底时因受操作条件的限制,不可能按上述要求捣打,故使用"可"。

4.4.7 根据加热炉炉墙的施工经验,铺料捣打应保持同一高度。否则料体滑动,捣打难以密实。

4.4.8 孔洞部位耐火可塑料的捣打,次序基本与耐火砖砌拱的要领一致。实践证明其效果良好,可以保证内衬孔洞处的施工质量。

4.4.9 耐火可塑料具有一定的塑性。若先捣打斜坡炉顶上部,捣固体会在重力作用下下滑,产生变形,影响施工质量。

4.4.10 根据第 4.4.6 条的规定,捣打炉顶时捣固锤应取平行于模板的方向。但合门时,已无操作空间,捣固锤只能垂直于模板。此处的分层面是平行于受热面的,因此合门处应愈小愈好。而且捣打成漏斗状,防止剥落。

4.4.11 用一块与锚固砖或吊挂砖齿形相同的木模砖,代替锚固砖或吊挂砖在耐火可塑料中形成齿形,然后嵌入锚固砖或吊挂砖,是避免捣固锤直接击打锚固砖或吊挂砖的行之有效的方法。

4.4.12 为了防止热应力破坏衬体,应留设膨胀缝。

4.4.13 热硬性耐火可塑料常温下强度不足。孔洞处多为受力部位,过早拆模,捣固体易产生缓慢变形,甚至开裂。孔洞处脱模后干燥较快,不易养护,易形成龟裂。所以拱胎应在临近烘炉时拆除。本条为强制性条文。

4.4.14 耐火可塑料的含水率通常为 $8\% \sim 10\%$,此外还有结合水。开设通气孔是为了便于捣固体内部水分的逸出。

4.4.15 开设膨胀缝是将不规则的干燥收缩集中于膨胀缝处,使墙面保持完整。

4.4.16 表面刮毛是为了防止捣固体表面形成致密层,烘炉时水蒸气逸出困难,衬体因蒸汽压力升高而崩坏。

4.4.17 如暂不烘炉,应用塑料布将耐火可塑料覆盖,防止耐火可塑料变质,影响施工性能。

4.4.19 条文提出耐火可塑料内衬修补的要领:

(1)挖去已丧失粘结力的干硬层;

(2)喷水湿润以恢复其塑性和粘结性;

(3)挖成里大外小的修补槽,使填入的新料不易脱落。

4.5 耐火捣打料

4.5.1 为保证耐火捣打料的施工质量,本条规定了捣打的基本要领,施工中应严格遵循。

4.5.2 根据多年来各施工单位的经验,规定捣打方法与铺料厚度,避免因铺料厚度过厚导致捣打不密实,影响施工质量。本条中所述"应对与炭素捣打料相接触的表面进行干燥处理并清理干净",是指施工完的砌体表面含有水分,不利于其与炭素捣打料的结合,应经过一定时间的烘干或风干。

4.5.5 本条规定是为了保证耐火捣打料层与层之间结合紧密。

4.5.6 热捣炭素料冷态时为块状,经破碎加热后使其软化,具有捣打性,便于施工。热捣法施工时,炭素捣打料的加热温度受材料、气候等因素的制约。所以本条未对加热温度作出具体规定,而指出应根据各有关因素来确定炭素捣打料的加热温度。

4.5.8 为了保证该种耐火捣打料的施工质量,强调使用热锤捣打。

4.6 耐火喷涂料

4.6.1 工艺参数(压缩空气的风压和流量、水压、回弹率、外加剂的用量等)因受耐火喷涂料的性能(粒度大小、颗粒级配、结合剂等)及输送距离、高度等因素的影响,施工前应根据现场试喷确定。

4.6.2 耐火喷涂料附着是否牢固与金属支承件的架设稳固与否、表面清洁程度有很大的关系,故制订本条。

4.6.3 本条规定的目的是防止耐火喷涂料中的细粉在喷出时飞散。既减少了物料损失和环境污染,又保证了施工质量。

4.6.5 本条为新增条文。采用湿法喷涂时,为保证喷涂层的施工质量和喷涂时耐火喷涂料不堵塞管道,喷涂料应搅拌均匀,不得有干粉或结块。

4.6.6 本条为新增条文。为保证喷涂层的施工质量和适宜的凝结时间,要求泵送至枪头处的耐火喷涂料和促凝剂应均匀混合。施工时应连续喷涂,且喷涂面上不得出现流淌或塌落。

根据湿法喷涂相关的产品使用说明书和施工经验,本条对喷涂方向、喷嘴离受喷面的距离及喷嘴移动方式作出明确规定。

4.6.7 本条规定是为了保证喷涂内衬的整体性,避免分层。

4.6.9 回弹料及散落料由于性能发生变化,即使未受到污染也不得再用。

4.6.10 耐火喷涂料具有一定的硬化时间,应在完全硬化之前测量喷涂层的厚度和尺寸偏差,并及时修整。为便于喷涂层内部的水分排出,喷涂层表面不得抹光。

4.6.11 开设膨胀缝的目的,是将干燥收缩集中于膨胀缝处,避免不规则的龟裂。为便于操作,本条强调应及时开设膨胀缝。

4.6.12 当内衬中有锚固砖时,应避免因锚固砖的遮挡而形成死角,喷涂施工中应引起重视。

4.6.13 耐火喷涂料均为成品料供应,因配方不同其所要求的养护条件也不一样,因此养护方法不作统一规定。

4.7 耐火压浆料

4.7.1 搅拌机能力应大于压浆机能力,防止压浆机空转。安装金属过滤网是为了防止耐火压浆料中较大的颗粒料堵塞压浆机及压浆管。

4.7.2 耐火压浆料搅拌前应清洗搅拌机具、料斗、称量容器等,避免耐火压浆料受残余物料干扰。用少量结合剂对压浆机和管道进行循环清洗,是为了保证管道的润湿、畅通,防止压浆时堵塞或泄漏。

4.7.3 压浆短管的位置应根据需要压浆部位的不同而设定,保证耐火压浆料能够准确地输送到指定位置。短管应焊接牢固,避免发生泄漏事故,保障施工安全。

4.7.4 工艺参数(压力、流量、凝结时间、结合剂用量等)因受耐火压浆料的性能(粒度、颗粒级配、结合剂、流动性等)及输送距离、高度、温度等因素影响,施工前应根据现场试压浆确定。

4.7.5 耐火压浆料初凝后流动性变差,管道内阻力增大,会导致堵塞,甚至爆管。

4.7.6、4.7.7 根据施工经验,条文所规定的要领可以保证耐火压浆料填充到位,并防止漏压、过压。

4.7.8 为了保障施工人员安全,防止耐火压浆料喷出,引发安全事故,应及时关闭截止阀。

4.7.9 对压浆过程中可能出现的空隙,应在压浆施工完毕后,按区域进行检查并及时补压,保证耐火压浆料填充密实。

5 耐火陶瓷纤维

我国耐火陶瓷纤维工业发展迅速,产品遍及耐火、保温、防火等领域。有棉、毯、毡、板、模块、耐火陶瓷纤维可塑料、耐火陶瓷纤维浇注料等多种产品形式。其中折叠式模块应用广泛,具有施工快、高温结构强度大、使用寿命长等特点。因此,本章增加第5.4节有关折叠式模块的内容。

5.1 一 般 规 定

5.1.1 耐火陶瓷纤维内衬所采用的材料,包括耐火陶瓷纤维制品、锚固件及粘接剂等。材质的选择及其技术指标均应符合设计规定。耐火陶瓷纤维内衬的结构形式、锚固方式或粘贴等也均应符合设计规定。

耐火陶瓷纤维制品按现行国家标准《耐火材料　陶瓷纤维制品试验方法》GB/T 17911测定加热永久线变化,以加热线收缩不超过如下规定值的温度为分级温度:耐火陶瓷纤维制品的加热线收缩不超过4%。长期安全使用温度参照现行国家标准《耐火材料　陶瓷纤维及制品》GB/T 3003:在氧化性或中性气氛下,比分级温度低100℃～200℃;在还原性气氛下,比分级温度低200℃～350℃。

耐火陶瓷纤维内衬结构在考虑炉体热损失与热面使用温度的前提下,还应便于施工安装和检修拆换。

5.1.2 耐火陶瓷纤维制品、锚固件(耐热钢锚固钉或螺栓、转卡垫圈、陶瓷杯与陶瓷杆、陶瓷压板等)和粘接剂的质量验收工作,应按现行标准及技术条件进行。

5.1.3 耐火陶瓷纤维制品空隙率达90%以上,受湿或挤压会改变其性能。

5.1.4 为了保证耐火陶瓷纤维制品拼接或搭接边缘整齐，并符合设计尺寸，强调切割时切口应整齐，不得任意撕扯。

5.1.6 用粘贴法铺设耐火陶瓷纤维毯、毡或板时，粘贴面应保持清洁干燥。浮灰、油污、浮锈、潮湿以及粘贴面不平整都会影响粘贴效果，导致耐火陶瓷纤维毯、毡或板易脱落。因此，炉壳钢板表面应清除浮灰、油污和浮锈（喷砂、用钢丝刷等），其他耐火炉衬应经干燥和修补平整后才能粘贴耐火陶瓷纤维毯、毡或板。耐火陶瓷纤维毯、毡或板粘贴于炉壳钢板或其他耐火炉衬时，为了保证粘贴牢固，耐火陶瓷纤维毯、毡或板和炉壳钢板（或其他耐火炉衬）均应涂刷粘接剂。不易浸润的耐火炉衬粘贴耐火陶瓷纤维毯、毡或板时，可先用稀释后的粘接剂涂刷表面。

5.1.7 耐火陶瓷纤维制品表面涂刷耐火涂料，可以减少高温收缩，提高抗化学侵蚀和抗气流冲刷的能力。

5.1.8 为防止不定形耐火材料施工时，水分被耐火陶瓷纤维制品吸收，施工前应在耐火陶瓷纤维制品表面做防水处理。

5.2 层铺式内衬

5.2.1 由于耐火陶瓷纤维毯、毡或板自身强度较差，故锚固钉之间的距离不宜过大，防止耐火陶瓷纤维毯、毡或板下垂变形。炉顶锚固钉的中心距宜为 200mm～250mm，炉墙锚固钉的中心距宜为 250mm～300mm。锚固钉与受热面耐火陶瓷纤维毯、毡或板边缘的距离宜为 50mm～75mm，最大距离不应超过 100mm。

5.2.2 如果锚固钉焊接不牢、焊缝断裂，会导致耐火陶瓷纤维内衬脱落，故应保证锚固钉的焊接质量，要求逐根锤击检查。当采用陶瓷杯或转卡垫圈固定耐火陶瓷纤维毯、毡或板时，用带缺口的耐热钢条作为锚固钉焊接在炉壳钢板上。将陶瓷杯或转卡垫圈压到锚固钉缺口处转 90°卡住，便可固定耐火陶瓷纤维内衬。为此，锚固钉的断面排列方向应一致，便于安装陶瓷杯或转卡垫圈时辨别方向,保证旋转 90°卡牢。

5.2.3 紧固锚固件时,应松紧适度。锚固螺栓过紧会破坏耐火陶瓷纤维毯、毡或板面层,过松则不牢固。

5.2.4 由于耐火陶瓷纤维毯、毡或板在厚度方向是多层叠合,在平面方向是多块拼接,为了提高气密性,避免内衬因收缩产生贯通缝隙,各层间应保证错缝 100mm 以上。受热面层为耐火陶瓷纤维毯、毡或板时,接缝处应搭接,搭接长度以 100mm 为宜;搭接方向应顺气流方向,避免表面耐火陶瓷纤维层受气流冲刷而出现层间脱落。

5.2.5 在接缝处进行预压缩,利用耐火陶瓷纤维毯、毡的回弹性挤紧接缝,可以避免高温收缩时出现缝隙。

5.2.6、5.2.7 考虑到耐火陶瓷纤维高温下收缩,孔洞处耐火陶瓷纤维毯、毡或板的切口应略小些,也即耐火陶瓷纤维毯、毡或板下料时应略大于实际尺寸为好。为了保护锚固钉,陶瓷杯内应用与热面同材质的耐火填料塞紧。

5.2.8 在铺设炉顶耐火陶瓷纤维毯、毡或板时,为防止耐火陶瓷纤维毯、毡或板下坠,应每隔 2 个~4 个锚固件安装一个快速夹进行层间的临时固定。

5.2.9 为了保证耐火陶瓷纤维毯、毡或板内衬的密封性,所有连接处均应避免出现直通缝。特别是炉墙转角或炉墙与炉顶、炉底相连处,应交错铺设。使用一段时间后,应经常检查该部位,如发现裂缝,应及时修补。防止耐火陶瓷纤维制品继续收缩,导致裂缝扩大造成热损失,加速钢结构的损坏。

5.2.10 由于炉温高、金属件易氧化,故须对暴露在炉内的金属锚固钉、螺栓、螺母、垫圈等采取保护措施。尤其对于有腐蚀性气氛的炉子,保护措施更为重要。

5.3 叠砌式内衬

5.3.1 因耐火陶瓷纤维制品受热后会产生体积收缩,控制压缩率可有效地弥补耐火陶瓷纤维制品的高温收缩。

5.3.2、5.3.3 穿串固定是耐火陶瓷纤维制品叠砌的一种方法。将耐火陶瓷纤维制品固定在炉子的钢结构上,同时要求支撑板和固定销钉不得直接裸露在炉内,防止高温损坏。这种方法施工方便,但支撑板、固定销钉的焊接质量至关重要,应逐根检查。活动销钉与固定销钉正确配合才能将耐火陶瓷纤维制品固定牢固,故活动销钉的插入不得偏斜和遗漏。

5.3.4 由于耐火陶瓷纤维制品高温下会产生收缩,故强调接缝处均应挤紧。

5.3.5 采用粘贴法施工时,相邻方块体的耐火陶瓷纤维制品应互相垂直,成纵横交叉排列。这样可提高内衬的结构强度和抵抗气流冲刷的能力。

5.3.6 为了使每扎耐火陶瓷纤维制品保持平直、相互之间的紧密程度均匀,在被粘贴的表面按每扎耐火陶瓷纤维制品的大小分格划线是必要的。

5.3.7 粘贴施工时,粘接剂涂抹是否饱满、均匀,厚薄是否适中,对粘贴效果非常重要。粘接剂涂抹得过厚,耐火陶瓷纤维制品会因吸收水分过多而软脱;涂抹得过薄,则无法粘牢。

耐火陶瓷纤维制品涂好粘接剂之后,应立即粘贴并压紧。否则,制品与被粘贴面之间会留有空隙,导致耐火陶瓷纤维制品使用时逐渐脱落。

5.3.8 为避免粘接剂沾污已贴好的耐火陶瓷纤维制品,一般宜自上而下粘贴。如要求自下而上施工时,则应注意采取保护措施。

5.3.9 耐火陶瓷纤维条应与烧嘴、排烟口、孔洞等部位的周边垂直,防止耐火陶瓷纤维条膨胀堵塞孔洞,提高抵抗气流冲刷的能力。

5.4 折叠式模块

折叠式模块是将耐火陶瓷纤维毯按一定的宽度折叠成手风琴

状,然后将其加以一定量的预压缩,并在压缩状态下捆包,形成模块组件。

5.4.2 折叠式模块常用体积密度 96kg/m³～128kg/m³ 的耐火陶瓷纤维毯进行机械压缩,压缩后折叠式模块的体积密度宜为190kg/m³～220kg/m³。

5.4.4 折叠式模块的锚固件结构形式较多,分别有滑梯式、角铁式、蝶形式等。一般可分为两部分:一部分是模块本身预埋的锚固件,另一部分是焊于炉壳上的金属锚固件。应按设计规定选用锚固件的材质和结构。

5.4.5 折叠式模块本身无预埋锚固件、只有焊于炉壳上的金属锚固件时,应用穿钉固定。穿钉应垂直支撑板插入耐火陶瓷纤维模块中,然后穿入相邻支撑板孔内。

5.4.6 折叠式模块沿折叠方向顺次同向排列,相邻两排模块之间、模块与其他耐火炉衬的连接处、炉墙与炉顶的连接部位应用相同等级的耐火陶瓷纤维毯对折压缩挤紧。耐火陶瓷纤维毯的压缩率不应小于 15%。这种结构用于炉顶时,应用耐热合金 U 形钉将耐火陶瓷纤维毯与折叠式模块固定,U 形钉的间距宜为 600mm。

6 高炉及其附属设备

随着技术的进步，炭砖加工精度的提高，近年来国内外部分高炉的炉底、炉缸炭砖砌体采用干砌技术。该项技术有利于提高高炉使用寿命，具有推广意义。故本章增加相应的条文内容。

6.1 一 般 规 定

6.1.1 本条根据国内多座高炉的施工质量标准要求，增加了高炉炉底、炉缸炭砖干砌的砌体砖缝厚度规定。

6.1.2 高炉炉底、炉缸炭砖干砌时，砖缝厚度为 0.5mm，故增加炉底底基、炉底各砖层和炉底最上层砌筑炉缸墙的部位及炉缸各砖层的表面平整偏差。根据国内多座高炉的施工质量标准要求，规定以上部位干砌时表面平整偏差应为 0～1mm，并将热风管道砖内表面的错牙、内径和膨胀缝宽度的允许偏差增加列入表中。

6.1.3 高炉、热风炉及热风管道等各孔洞砌体采用组合砖，其内部受力传递均匀，施工质量有保证，生产实践证明是提高高炉和热风炉一代炉龄的重要措施。为了保证组合砖按预装的几何尺寸砌筑，避免施工中二次加工，应严格控制组合砖砌体下的炉墙上表面的标高，其允许偏差应为 −5mm～0。

6.1.4 本条为新增条文。为保证各孔洞砌体的施工质量，避免施工现场二次加工，组合砖应预先加工、组装。每组组合砖的块数从几块到几十块、几百块不等，型号多且形状复杂。其中有的组合砖形状尺寸差异不大，很难区分。为满足施工要求，对号入座砌筑，加快砌筑进度，确保工程质量，减少运输过程中的损坏，要求组合砖加工、组装后应按顺序编号，并记入组装图中，且采用集装箱方式包装、运输。

6.1.5 本条为新增条文。组合砖的加工、组装质量是保证组合砖砌筑质量的前提条件。根据国内高炉各孔洞砌体组合砖施工经验,组装尺寸的允许偏差在表 6.1.5 规定数值的范围内,其砌筑质量是可以保证的。

6.2 高 炉

6.2.1 炉腰以上的砌体均以炉喉钢圈中心为基准砌筑。炉缸砌体的中心线则是参照炉身中心线由测量确定,若不校核两者之间的位移,则炉体上、下部的内衬有可能出现偏斜,影响高炉砌体的质量。为此,规定其位移不应超过 30mm。超过此数值时,应重新调整炉缸砌体中心线的位置。国内很多高炉的风口采用组合砖砌筑,而组合砖直接砌筑在炉缸环形炭砖上,标高的调整余地较少。故在确定炉底、炉缸砌体的标高时,应以风口中心平均标高为基准,使风口组合砖能准确就位。风口不采用组合砖时,应以出铁口中心标高为基准砌筑炉底和炉缸。

6.2.2 国内外高炉在这些部位多采用炭质或碳化硅质材料作为填料,也可采用铁屑填料。故强调"其牌号和性能应由设计规定"。

6.2.3 用于炉底垫层的炭素捣打料,要求料体结实致密,有较大的耐压强度和较高的导热系数。因此,捣打时压缩比不应小于 45%。用于砌体与冷却壁(或炉壳)之间缝隙的炭素捣打料,主要作用是吸收炭砖砌体向四周的膨胀,但也应具有一定的密实度和导热性能,所以该部位的炭素捣打料的压缩比不应小于 40%。高炉热捣炭素料的加热温度,参照其混炼温度规定为不应超过 120℃。

6.2.4 随着新材料、新工艺的开发和应用,有些高炉的炉底找平层采用碳化硅质浇注料找平,故本次修订增加浇注料找平的内容。设有冷却装置的炉底密封钢板表面用炭素捣打料捣固或碳化硅质浇注料浇注是为了使整个炉底能较好地传热,以保护炉底,提高高炉的使用寿命。炉底钢板上炭素捣打料或碳化硅质浇注料的找平是道很重要的工序,关系到炭砖砌筑是否平整,强调应做好验收记录。

6.2.5 本次修订增加了碳化硅质浇注料找平的要求,同时还增加了炭砖干砌时对扁钢上表面标高允许偏差的要求。用扁钢隔板分块控制炭素捣打料或碳化硅质浇注料找平层标高的施工方法,具有结构简单、施工方便、找平质量高的优点,这种方法已在各地高炉的施工中广泛应用。炉底炭砖湿砌时,扁钢上表面的标高允许偏差应为-2mm~0;炉底炭砖干砌时,水平砖缝厚度小,没有用耐火泥浆调整厚度的可能,故要求扁钢上表面的标高允许偏差应为-1mm~0,是根据多座大型高炉的施工经验而定的。

Ⅰ 炭 砖 砌 体

6.2.6 炭砖是精度要求高的耐火材料,不易加工。高炉的各层炭砖应在制造厂内预组装,检验每块炭砖是否合乎砌筑质量的要求。预组装完毕应按实际绘制预组装图,记下每块砖的编号,便于砌筑时按图纸施工。

6.2.7 满铺炭砖炉底上、下两层炭砖列的纵向中心线交错成30°~60°,是为了防止铁水沿垂直贯通缝渗透到炉底下部。为了避免出铁时铁水沿砖缝冲刷破坏砌体,各层炭砖的砖列长缝均应与出铁口中心线交错成30°~60°。

6.2.8 炭砖列如不平直,不仅会影响砖缝厚度,还会给最后一列砖的砌筑带来困难,因此应随时检查。炭砖湿砌时,炭砖列用千斤顶顶紧,砖列平直度、平面位置和垂直缝经检查合乎要求,应将两端用木楔予以固定。炭砖干砌时,仅需使用人工和木锤敲打即可顶紧,同时将两端用木楔予以固定。

6.2.9 真空吸盘吊作为砌筑高炉炭砖的机具,已普遍采用。炭砖上表面预留吊装孔,采用专用吊具起吊砌筑。实践证明,这两种方法简便省力、施工进度快、减少炭砖磨损、安全可靠。

6.2.10 本条所指的厚缝实际上是一条工作缝,其下限尺寸需保证能用捣固锤将炭素捣打料捣实。常用的捣固锤锤头的最小锤面尺寸为 30mm×60mm,故厚缝尺寸下限定为 40mm。上限尺寸定为 120mm 也较合理。如果缝隙再大,则可加砌一块 75mm 宽的条子砖。

6.2.11 环状炭砖的放射缝与半径方向一致,能使砌体内受力均匀,且可避免出现错牙。

6.2.12 若用明火直接加热炭素泥浆,炭素泥浆内的某些易挥发物质容易因局部过热而挥发,降低炭素泥浆的和易性和粘接性,甚至还会出现安全事故,因此应隔水加热。

6.2.13 炭砖大且重,人工砌筑不能就位,砖缝内的炭素泥浆不易饱满,故应用千斤顶顶紧。

6.2.14 捣打炭素料之前用木楔固定炭砖,是为了防止炭砖在捣打过程中出现位移。环状炭砖砌体合门、调正前捣打炭素捣打料,会使炭砖产生位移,故应在环状炭砖砌完调正以后再开始捣打炭素捣打料。

6.2.15 炭砖砌体的上表面保持平整,并要求逐层检查,是碳砖砌筑的重要环节。

6.2.16 炉缸环状炭砖从出铁口开始往两边砌筑,可保证出铁口通道的宽度尺寸、上下层炭砖不会出现错牙、铁口区其他耐火砖砌体与炭砖接触严密。

Ⅱ 其他耐火砖砌体

6.2.18 磷酸盐耐火泥浆是一种耐高温胶结材料,它具有比普通耐火泥浆更优越的高温性能。采用这种泥浆后可以适当放宽砌体砖缝,从而取消粉尘严重、劳动强度大的磨砖工序。

6.2.19 高炉炉底和炉缸耐火砖(不包括保护层),砖缝要求非常严格,应在施工前按厚度(竖砌时为高度)选分,做上标记。然后根据各级别砖的数量配层,必要时可研磨加工。

6.2.20 每层炉底只有从中心十字形开始砌筑,才能保证四周炉底砖的垂直偏差最小。中心十字形炉底砖的纵向和横向砖列如不互相垂直,其接触面会出现三角缝。因此,砌筑中心十字形砖列时,应随时检查。

6.2.21 炉底竖砌砖用沾浆法砌筑,即将砖的大面和小面沾满耐火泥浆,放低靠上已砌好的砖,上下小幅度揉动,重力放在砖的下部,砖缝内的耐火泥浆则饱满而无"花脸"。

6.2.22 为了增强炉底砌体的整体性,避免铁水沿垂直贯通缝向下渗透,炉底砖上、下两层的砌筑中心线应交错成30°,通过上、下层中心点的垂直缝亦应错开。为避免出铁时铁水沿砖缝冲刷,各层炉底砖均应与出铁口中心线交错成30°~60°。

6.2.23 炉底砌体是决定高炉寿命的关键部位,工程质量要求极严。砌筑炉底砖时,应随时检查砖缝厚度、耐火泥浆饱满程度、各砖层上表面的平整偏差和表面各点的相对标高差,确保炉底砌体的质量。

6.2.24 如果炉底砖层(除最上层外)上表面的错牙不磨平,其上一层砖砌筑后,会产生更多的错牙,而且越往上情况越严重。但是炉底最上层砖表面的错牙不会影响其他砖层的砌筑质量。在磨平炉底的错牙时,应仔细操作,不得将砌好的砖碰撞松动。

6.2.25 出铁口砌体是炉缸的重要部位,砌筑技术复杂,质量要求严格。从出铁口开始往两边砌筑,可保证出铁口通道的宽度尺寸、出铁口中心线位置准确、出铁通道组合砖的砌筑质量。

6.2.26 出铁口框和渣口大套外环宽500mm范围内的砌体以及风口带砌体均紧靠冷却壁(或炉壳)砌筑,其间不严密处填以相应材质的稠耐火泥浆是为了保证砌体的严密,防止铁水、渣或火焰从这些不严密处喷出,烧坏冷却壁(或炉壳)。

6.2.27 非组合砖砌体的风口和渣口两侧的砖平砌,便于加工水套周围的砖。既能保证风口、渣口区域的砌筑质量,又便于更换水套。风口、渣口的水套顶部砖若继续平砌封顶,则容易塌落,应用侧砌保证砌体的整体性和牢固性。砌体与风口、渣口水套之间的缝隙是为吸收砌体的受热膨胀,同时便于更换风口、渣口水套。故规定了缝隙的下限尺寸;至于上限尺寸,则应由设计规定。

6.2.28 陶瓷杯由杯底垫和杯壁两部分组成。杯壁为多种形状的大型预制块结构时,陶瓷杯壁外侧一般为环状炭砖,当炉缸采用这种混合结构时,应先砌筑陶瓷杯,后砌筑环状炭砖。当杯壁砖不大时,应先砌筑炭砖,后砌筑陶瓷杯。

6.2.29 杯底垫第二层为防止砖漂浮采取自锁结构,由外侧向炉中心砌筑。为此应逐环控制砌筑半径,避免中心座砖周围预留的填料缝过小,影响砌筑质量。合门处留成外大内小的喇叭口状,是由构造和砖型决定的。

6.2.30 陶瓷杯壁大型砌块形状多样,上表面一般较小,不宜使用真空吸盘和夹具吊装。利用砌块上表面预留的圆柱形吊装孔,采用专用器具吊装就位,既安全可靠,又方便施工。当一层陶瓷杯砌筑完成并经检查合格后,应及时用相应的耐火浇注料填充吊装孔。

6.2.31 陶瓷杯壁每层砌块较高,上、下层多采取插入咬合。若不能保证砌块的垂直度和水平度,将给砌筑带来困难,并直接影响工程质量。因杯壁砌块难以加工,加工质量无法保证,故杯壁砌块合门时,每层最后几块砖应干摆,通过调整砖缝的办法合门,必要时可微调砌筑半径。

6.2.32 砌筑高炉圆形砌体时,不应同时留三层以上的退台是为了便于接槎砌筑,保持墙面平整。合门砖是砌体的薄弱坏节,每环砖合门应愈少愈好。

6.2.33 高炉厚壁炉腰及炉身砌体的中心线,应以炉喉钢圈中心为准。通过炉喉钢圈中心挂设中心线,随时检查砌体的半径,将其控制在表 6.1.2 所规定的偏差范围内,能保证炉子的内型尺寸。炉壳内表面设计喷涂层既可防止炉内窜火烧红炉壳,又能隔热、减少热损失、节约能源,还可弥补炉壳凹凸不平给内衬造成的偏差。喷涂层应以炉壳为导面施工并及时修整,控制厚度的允许偏差为±5mm。

6.2.34 炉身冷却板先安装,便于控制砖层高度、水平度以及填塞耐火填料。冷却板周围一块砖紧靠炉壳砌筑,不留填料缝,可防止隔热层内的填料在更换冷却板时流出。冷却板之间的间距固定、预加工耐火砖,能加快工程进度,提高工程质量。

6.2.35 高炉冷却壁与炉壳之间压浆对提高炉衬的严密性、减少气体的窜漏、保护炉壳起着重要作用。炉身下部以下宜采用非水系压入泥浆,避免压浆料将大量水分带入炉衬内,给高炉的正常烘炉和顺利投产造成不利的影响。

6.2.36 高炉投产后,炉墙受热向上膨胀,需在钢砖底部留一定的间隙以吸收部分膨胀。

6.3 热 风 炉

Ⅰ 底 和 墙

6.3.1 基建中应合理安排热风炉组的施工顺序,避免一端受重载而造成基础的不均匀下沉。

6.3.2 按施工的工序交接制度,砌筑前应按炉壳结构安装的允许偏差校核炉壳中心线的垂直偏差。耐火喷涂料施工时,应按炉壳各段确定的喷涂层中心线安设半径轮杆,用以精修喷涂层。喷涂层的半径偏差愈小,热风炉围墙的砌筑质量愈有保障。

6.3.3 在大型热风炉砌筑中,喷涂层、组合砖、交错砌筑的多孔格子砖、炉墙设置垂直滑动缝等技术的采用均要求各部位的炉墙有准确的内型,而喷涂层的设置则为炉墙有准确的内型提供保障。因此,规定有喷涂层的热风炉各部位的炉墙均应按中心线砌筑并严格控制半径尺寸。无喷涂层的内燃式热风炉的围墙则应以炉壳为导面砌筑。

6.3.4 热风炉上部各段炉墙间的垂直滑动缝按设计规定留设,生产时炉墙就能够上下自由滑动而不互相干扰。为保证每层托砖板上炉墙第一层砖平整,可采用相应的耐火浇注料在托砖板上找平。

6.3.5 炉墙隔热层的填料顶面若低于砌体表面 500mm 以上,落入隔热层深槽内的泥渣便难于清除,填料也不易捣实。长期生以后,填料逐渐下沉,上部便出现一段无填料带,热损失增大。为了防止隔热层填料下沉后无填料带集中在上部,应每隔 2m～2.5m 平砌两层隔热砖。

6.3.6 热风口及其以上各口与水平管的内衬连接处留设垂直滑动缝,主要是为了保证生产后各室炉墙能够上下自由滑动,不与水平管内衬互相干扰。因此,垂直滑动缝处应仔细加工砌筑。

6.3.7 热风口、燃烧口和炉顶连接管口等周围环宽 1m 范围内的高铝砖(或黏土耐火砖、硅砖)均应紧靠炉壳(或喷涂层)砌筑,是为了防止从该部位向外蹿火,烧坏炉壳或管壳。

6.3.8 内燃式热风炉圆形燃烧室墙与围墙在生产过程中温差较大,热胀冷缩不同步,应按设计规定留设膨胀缝。缝隙内充填瓦楞纸、发泡苯乙烯等易燃物质,吸收燃烧室向外的膨胀。

6.3.9 因为硅砖的膨胀系数较大,因此在硅砖砌体的放射缝和环缝处均应按设计规定留设膨胀缝。砌筑时为避免膨胀缝堵塞,应在膨胀缝内充填发泡苯乙烯等具有伸缩性、灰分少的易燃物质。

6.3.10 陶瓷燃烧器能使煤气和空气均匀混合、燃烧完全。陶瓷燃烧器使用预制块时,应在正式砌筑前按设计图纸预砌筑并预加工,以便正式砌筑时预制块能够接缝严密、砌体尺寸偏差较小。砌筑后,砌体表面的接缝均应用稠耐火泥浆勾填严实,防止煤气、空气互相窜通。

Ⅱ 砖 格 子

6.3.11 炉箅子与支柱的安装质量不仅影响砖格子的砌筑质量,而且关系到生产安全。炉箅子上表面的表面平整偏差、炉箅子格孔中心线与设计位置的允许偏差是保证砖格子砌筑质量的先决条件,故加以强调。本条为强制性条文。

6.3.12 为了保证砖格子的质量,施工前应对格子砖的外形尺寸允许偏差按现行行业标准《热风炉用高铝砖》YB/T 5016 验收。对于上、下带沟舌的多孔格子砖应按高度分级挑选、计算配层,以保证格子砖砌筑后砖层的平整。

6.3.13 砖格子从互相垂直的十字中心开始向四周砌筑,能保证格孔垂直,错位较小。砖格子施工中,除用十字中心线控制外,还可用木比尺进行控制,保证格孔垂直。木比尺两面分别连续标注纵、横两个方向相邻格子砖的中心间距。

6.3.14 为了保证整个砖格子的砌筑质量,第一层砖格子应预砌筑,以便掌握格子砖的实际尺寸与炉箅子格孔的铸造尺寸是否吻合。第一层砖格子表面应平整,为其上各层砖格子的砌筑打下良好的基础。

6.3.15 砖格子与炉墙之间按设计留设膨胀缝有两个作用:一是防止砖格子受热膨胀后挤压炉墙;二是保证砖格子与炉墙在生产中能各自膨胀,互不影响。施工时四周用木楔塞紧是为了防止冷态时格子砖向四周位移,保证格孔上、下垂直。

6.3.16 施工中应采取措施,防止格孔堵塞、蓄热面积减少。砖格子砌筑完毕以后,应检查格孔是否畅通并计算堵孔率,堵塞格孔的数量不应超过第一层砖格子完整格孔数量的 3%,以保证必要的蓄热面积。上、下带沟舌的多孔格子砖砌筑时,有些砌筑方法需要在同层相邻格子砖间贴上规定厚度的胀缝板。由于交错砌筑,同一垂直线的格孔中有胀缝板堵塞,堵孔率无法检查。但只要在砌筑中采取一些技术措施,如对周边需加工的格子砖预加工、砌筑炉墙前用胶皮等覆盖砖格子上表面,就能够保证砖格子的通孔率。

6.3.17 本条文的规定是为了增强砖格子的整体结构强度。四周的格子砖可按样板预加工,编号画出砌筑图,施工时应按号砌筑。

Ⅲ 炉 顶

6.3.18 按炉顶孔的中心和标高来确定球形拱顶砌砖(或喷涂层)的中心线,可保证砌体与炉壳之间的膨胀间隙符合设计规定。在外燃式热风炉中,宜按两个球体的中心及连接管钢壳中心来确定连接管砌砖(或喷涂层)的中心线,能保证连接管四周砌体的厚度一致。

6.3.19 为了防止拱脚砖受热后向外位移,应在拱脚砖后面设置固定圈。拱脚砖砌筑前,应检查固定圈的安装质量,确认无误以后,拱脚砖应紧靠固定圈砌筑。

6.3.20 为了保证炉顶球形砌体的结构强度,炉顶下的炉墙上表面应找平。

6.3.21 本条为新增条文。针对卡鲁金顶燃式热风炉,控制炉顶燃烧器及其环道的几何形状和尺寸,是保证风温、风压和风量等工艺要求的重要条件,故增加本条。为了保证燃烧器各环道之间的气密性,防止相互窜气,上、下环道间的不锈钢板应铺设准确、严密。

6.3.22 炉顶砌体由多种相似的砖型组合而成,砌体的砖缝厚度小。如果不采取预砌筑的方法控制砌筑质量,在狭窄的施工现场内,很难再进行加工砌筑。

6.3.23 外燃式热风炉球形拱顶与连接管的交接部位,是整个热风炉最复杂的部分,其结构形式和施工质量直接影响热风炉的使用寿命,故宜采用组合砖砌筑。不采用组合砖时,应预砌筑、预加工,保证砌筑质量。

6.3.24 炉顶合门处施工困难,特别是塞头砖及外围的 1 环～2 环炉顶砖(含四周盖砖)难以加工,质量不易保证,采用高温性能良好的耐火浇注料代替是适宜的。

6.4 热 风 管 道

6.4.1 热风管道砌筑前将管道底部的纵向中心线测设在底部管壳或喷涂层上,管道砌筑以此为基准分中或压中砌筑,可以保证每排砖砌筑平直,避免三角缝,最后的合门砖大小基本一致。

6.4.2 热风管道内衬喷涂层除隔热、密封外,还能通过在一定范围内增减喷涂层厚度来找圆,为提高热风管道砌体的砌筑质量创造有利的条件。施工实践证明,使用中心支架,借助半径轮杆控制喷涂层下半圆的砌筑半径,是一种行之有效的办法。管道砖以喷涂层或管壳为导面砌筑,能够保证砖砌体结构的稳定性。通过支设拱胎控制管道砖上半圆的砌筑半径时,施工经验认为,拱胎长度在 500mm～700mm 之间比较适宜。既方便施工,又容易控制拱胎上砌体的质量。管道砖上半圆采用竹篾片等作支撑时,应支撑牢固,并注意控制砌筑半径。

6.4.3 热风管道三叉口采用的组合砖(或吊挂平拱)结构是管道砌筑的关键,为保证结构强度和稳定性,应尽可能避免砌筑过程中二次加工。故应先砌筑组合砖(或吊挂平拱),必要时可通过加工管道砖使管道砖与组合砖(或吊挂平拱)结合紧密。

6.4.4 热风围管砌体根据设计分为多边形和圆环形。当砌体为多边形时,接头处对嘴砖的加工质量直接影响热风围管砌体的砌筑质量,故应在现场仔细加工砌筑;当砌体为圆环形时,由于管道砖形状一般不设计成圆周方向的大小头,导致同层砌体的耐火砖之间会出现内外大小不同的自然梯形缝,故要求砌筑时此梯形缝应均匀。高炉大小不同、围管直径不同,梯形缝的大小也不同,故梯形缝的厚度应由设计确定。

7 焦炉及干熄焦设备

7.1 焦 炉

7.1.1 本条是在原规范的基础上,结合引进的 7.63m 焦炉和我国自行设计的 7m 顶装焦炉、6.25m 捣固焦炉以及其他成熟焦炉的经验而修订的。

(1)项次 1(1)、1(2)的内容包括焦炉砌筑时全部测量放线的要求。测量放线的精确性是保证焦炉砌筑质量的关键,也是保证焦炉炉体各部位尺寸正确的基础。因此,测量放线是焦炉施工的一项重要工作,应认真检查执行。

(2)项次 1(7):在控制和保证各孔道中心线间间距的允许偏差的同时,还应控制各中心线与焦炉纵向中心线间的间距,否则各孔道中心线会因顺次砌筑时的累计偏差而出现较大的偏移。

(3)项次 2(1):焦炉各主要部位的标高控制点,应在砌筑前标记在混凝土抵抗墙上,以此作为各部位砌体砌筑时测量放线的基准。

(4)项次 2(2):基础平台普通黏土砖(或隔热砖)砌体顶面标高的允许偏差虽规定为±5mm,但应注意,如果蓄热室用砖的厚度尺寸正偏差偏大时,该顶面不应砌成正偏差。

(5)项次 2(3):7.63m 焦炉中规定喷嘴板座标高的允许偏差,是为了保证喷嘴板的顺利安装和格子砖的砌筑精度。

(6)项次 2(8)~2(14):由于本表中焦炉各部位砌体标高的允许偏差偏大,因而还应保留相邻砌体标高差允许偏差的规定,防止局部砌体偏斜。

(7)项次 4:垂直偏差系指墙面顶部相对于下部墙脚的倾斜程度,其数值均系根据多年施工经验而确定。随着耐火材料制作精度的提高和测量控制手段的改进,7.63m 及其他焦炉可一并按本规定的要求执行。

（8）项次 5 的规定是保证炭化室墙砌筑质量、满足使用要求的重要内容。

7.1.2 为防雨水和满足冬季施工的要求,焦炉砌筑应在工作棚内进行,其尺寸应按施工和设备安装的要求而定。

7.1.3 近年来,很多设计引入半硅砖,故本次修订增加"半硅砖"的内容。硅砖、半硅砖的理化性能,特别是真密度和加热膨胀曲线,与制砖的原料和工艺条件有着直接的关系。多年施工实践证明,采用同一厂家生产的理化性能相接近的硅砖、半硅砖,对保证焦炉顺利烘炉、正常操作和延长使用寿命具有重要意义。

7.1.4 根据焦炉砌筑质量的要求,焦炉砌筑用的各种异形砖应按国家标准检查、验收。对外形和尺寸虽符合国家标准,而砌筑时由于累积偏差过大而达不到砌筑质量要求的各型砖,可经配砖或加工满足要求。

7.1.5 焦炉各主要部位的预砌筑是砌筑前的一项重要工作,施工中应予以重视。

7.1.7 炉体正面线,纵、横中心线和标高测量放线,各墙体和孔洞的中心及砌体标高控制设施的设置是炉体砌筑前的一道重要工序,经复查无误后才可砌筑。

7.1.8 焦炉砖型复杂,采用两面打灰挤浆法,是保证砌体砖缝耐火泥浆饱满的有效措施。

7.1.9 为避免气体窜漏影响焦炉的正常生产,焦炉砖缝的耐火泥浆应饱满和严密。但由于焦炉某些部位的结构和砖型较复杂,故对无法采用挤浆法砌筑的砖,规定垂直缝的耐火泥浆的饱满度不应小于 95%。砖缝检查为抽查,用百格网计算。

砖缝耐火泥浆的饱满程度和严密性可通过勾缝予以弥补和增强。本条为强制性条文。

7.1.10 对于异形硅砖和施工中断一昼夜后再砌筑的砌体,表面用水稍予润湿,其目的是延缓耐火泥浆的失水速度,使耐火泥浆和砖面能很好地结合,从而保证砖缝耐火泥浆的饱满、严密。在执行本条规定时,应注意控制洒水量,不得大量洒水。

7.1.11 砖缝耐火泥浆已干涸的砌体受敲打后,砖缝会产生裂纹,导致砌体松动。不仅影响砌体强度,还会导致气体窜漏,影响焦炉的正常运行。

7.1.12 根据设计要求,本条特别强调应注意膨胀缝之间的滑动缝,并应仔细留设。否则将影响其滑动功能,甚至会导致膨胀缝处砌体的破损。炉体正面膨胀缝的填塞可采用耐火陶瓷纤维等材料。

7.1.13 使用样板是为了保证膨胀缝的尺寸准确。采用与膨胀缝尺寸相当的发泡苯乙烯板作为填充材料直接夹入砌体中。应注意清理膨胀缝内的杂物,这是膨胀缝能否起作用的关键。

7.1.14 本条对砌筑焦炉时应干排验缝的部位作出具体规定。通过干排验缝,可调换不合适的耐火砖或采取其他措施保证砌筑质量。特别应注意炭化室第一层砌体尺寸的准确性及砖缝的均匀性,这是保证上部砌体砌筑质量的关键。

7.1.15 划排砖线可以控制砌体每块砖的砌筑位置,是保证焦炉砌体内孔洞尺寸准确的有效方法。它可以取代传统的用长标板检查各孔道纵向中心线与焦炉纵向中心线距离的方法。

7.1.16 因这些部位砌完后无法清扫,故砌筑时应随即清除其下部挤出的耐火泥浆。

7.1.17 砌筑焦炉煤气道管砖时,可使用胶皮拔子,将煤气道内挤出的耐火泥浆吸出,并用木制盖板盖上。待管孔内壁的耐火泥浆干涸后,使用圆形尼龙刷清扫。基于目前检查和控制手段的变化,本次修订取消使用样板检查控制管砖标高的方法。

7.1.18 使用木制标板控制和检查各部位孔道中心线位置和尺寸的准确性,是常用的施工方法。标板采用变形较小的木材制作,如红松或美国松等。

7.1.19 这些部位的砌体容易受损,而且不易更换,因此强调采取铺设保护板等措施。

7.1.20 焦炉施工时,要求全炉应均衡地向上砌筑,防止焦炉基础的不均匀沉降,影响焦炉质量。

Ⅰ 蓄 热 室

7.1.21 焦炉基础平台普通黏土砖(或隔热砖)砌体顶面的滑动层使用砂子或薄铁板铺成,其上的小烟道墙极易移动,故应按基础放线砌筑。砂子不宜一次铺完,应随砌随铺。滑动层为薄铁板时,应用钢针将砌体基础线刻划在铁板上,以便砌筑时使用和检查。

7.1.22 因焦炉投产后,箅子砖的排列无法重新调整,砌筑前应根据设计规定,事先将箅子砖按箅孔的实际尺寸排列好再砌筑。砌筑完经检查确认无误后,才可继续施工。

7.1.23 放置格子砖的砖台顶面是否平整,关系到整个砖格子的砌筑质量。本条增加 7.63m 焦炉等炉型的喷嘴板砌筑要求的内容。为保证喷嘴板的推入,规定喷嘴板底座砖的上表面应平整,不得有逆向错台。

7.1.24 本条为新增条文。规定了新炉型石墨板的铺设要求。

7.1.25 本条为新增条文。增加了对半硅砖与硅砖之间滑动层施工工艺的要求,保证滑动效果。

7.1.26 斜烟道的蓄热室顶盖下相邻墙顶的标高是否保持一致,不仅关系到上部砌体的平整,而且还是保证斜烟道区在烘炉过程中获得良好滑动表面的重要条件。因此砌筑蓄热室墙及蓄热室顶盖以下砌体时,应按规定的要求经常检查相邻墙的标高差。

7.1.27 本条是针对分格式蓄热室焦炉的特殊炉体结构和施工特点制订的。分格式蓄热室焦炉炉体砌筑结束后,无法进行最后的整体清扫,因此在炉体的砌筑过程中,每个互助组应配备功率为 600W～800W 的吸尘器。砌体顶面、保护设施、孔洞等处均应用吸尘器随时清除施工中产生的灰渣等,不得遗留或落入下部砌体和孔洞内,保证炉体各部位孔洞和通道的清洁、畅通。

7.1.28 本条强调砌筑格子砖以前,应对蓄热室顶盖二次勾缝。这是为了保证蓄热室顶盖以下各层斜烟道墙严密,满足生产要求。

Ⅱ 斜 烟 道

7.1.29 斜烟道砌体砖型多、形状复杂,部分砖型因结构限制无法挤浆砌筑,砖缝耐火泥浆不易饱满。斜烟道砌体逐层勾缝是弥补砖缝耐火泥浆不饱满的有效手段。

7.1.30 保证斜烟道孔的横向尺寸准确和内表面平整是根据生产要求而规定的。砌筑时,应随时检查。

7.1.31 蓄热室顶盖以下各层斜烟道砖逐层向墙两边伸出,容易被踏松,可采用在墙顶面中间铺设脚手板等方法加以保护。

清除分格式蓄热室格子砖上的保护设施时,应先使用吸尘器清除保护设施边角上的灰渣,防止其落入砖格子内。

7.1.32 本条主要是强调与保护板接触的砌体应按炭化室墙的质量标准准确砌筑,便于安装燃烧室保护板。

7.1.33 随着施工测量仪器精度的提高和施工控制方法的改进,炭化室墙标高的控制手段呈多样化,本条只强调采取有效的控制措施即可。

Ⅲ 炭化室、燃烧室

7.1.34 焦炉煤气道出口的密封多采用铺油纸和保护布的方法。密封前,煤气道应清扫干净。砌筑上部砌体时,应采取严密、牢固的保护措施。

7.1.35 为防止因砌体砌筑过高,孔洞内侧的勾缝无法进行而漏勾,本条强调"随砌随勾缝"。

7.1.36 砌筑炭化室墙时,脚手板靠墙处和燃烧室隔墙砖换号处易出现局部扭曲。因此,脚手板应离开墙面一段距离,以便随时使用靠尺板检查靠近脚手板墙面的平整。

砌筑燃烧室隔墙时,为防止炭化室墙面在隔墙砖部位产生局部凸起,在不影响砖缝厚度的情况下,可采用配砖或加工砖的方法。

7.1.37 炭化室墙的炉头正面设计多采用高铝砖(或黏土砖)镶砌,与硅砖砌体形成上、下直缝。砌筑过程中,通常在两种耐火砖相接处的水平缝内放入适量的麻线,防止这部分炉头砖向外倾倒。

Ⅳ 炉 顶

7.1.39 炭化室跨顶砖大面积加工会影响跨顶砖的整体强度,故本条规定,除长度方向的端面外,其他面均不得加工。如跨顶砖的厚度尺寸影响砌筑时,装煤孔(或除尘孔)间两端的跨顶砖可上、下颠倒砌筑。本条为强制性条文。

7.1.41 本条是为了保证调节砖在烘炉时能够自由拨动。

7.1.42 本条所述方法是防止耐火砖和大块杂物掉入立火道的有效措施。

7.1.43 用填坑灌浆的方法砌筑炉顶隔热砖,会导致生产时气体窜漏,炉顶表面温度增高,影响焦炉的正常操作和使用寿命。故对炉顶的砌筑方法加以规定是必要的。

7.1.44 本条是分格式蓄热室焦炉炉体砌筑完毕后的最后一道工序。为了保证立火道内的清洁,避免将保护设施遗漏在内,应逐一清理、检查。

Ⅴ 烘炉前后的工作

烘炉前后的工作中,不少项目不仅受到烘炉温度的制约,而且要求按一定的顺序完成,各专业间应密切协作配合。本规范仅将一些重要、成熟的经验纳入其中,详细事项应根据烘炉曲线制订的热态工程作业项目和操作规程进行。

7.1.45 因正压吹扫方法不符合环境保护和工人职业健康的要求,且对砖缝的影响较大,故本次修改为负压吸尘方法,并强调对砖缝的最后一次补勾。

7.1.53 本条规定是为了避免两侧封墙同时拆除时冷风直接穿炉而过,致使炭化室内温度快速下降,导致炭化室墙壁被破坏。本条为强制性条文。

7.2 干熄焦设备

I 熄 焦 室

7.2.1 本条系根据熄焦室施工技术要求、施工图、砌砖精度和施工经验制订。这些指标宽严适度,能满足设计及生产的要求。其中有的部位要求较严,是生产的客观需要。如项次1(3)进料口半径的允许偏差规定为-3mm~0,是因为炉盖扣在进料口砌体的外沿,故不允许有正偏差;项次2(2)斜风道隔墙顶面标高的允许偏差规定为±2mm,是因为上部预存段荷载大,若斜风道隔墙顶面标高允许偏差偏大,则受力不均;项次2(7)进料口上表面标高的允许偏差规定为-3mm~0,是为了保证炉盖砌体与进料口砌体的严密性。

7.2.2 熄焦室砌体孔洞多,各部位几何尺寸要求严格,砌体大部分采用异形砖和组合砖砌筑。因此,应对异形耐火砖的外形和几何尺寸进行检查和验收,保证砌筑质量。

7.2.3 斜风道和环形风道开口部位是熄焦室的关键部位,其结构复杂、孔道多、几何尺寸要求严格。而且全部采用异形砖砌筑,故应预砌筑。

7.2.4 熄焦室炉体较高,斜风道、预存段砌体均以炉体中心为基准砌筑,环形风道部位的调节孔中心则以炉体中心和风道中心为基准分度放线。因此,砌筑前均应校核炉体中心。同时,熄焦室砌体大部分采用异形砖和组合砖砌筑。为保证各部位砌体的标高和半径尺寸,还应校核各主要部位的标高控制点和半径尺寸。

7.2.5 考虑到炉壳的安装偏差、耐火砖的尺寸偏差,为保证上、下料位计孔中心标高及各水平膨胀缝尺寸的准确,应于砌筑前确定各部位砖层的高度。

7.2.6 由于托砖板在安装焊接时易变形,第一层耐火砖找平,可保证上部各层砌体表面的平整。

7.2.7 冷却段砌体是以炉壳为导面砌筑,而斜风道、预存段砌体则以炉体中心为基准砌筑。为避免出现较大的错牙,应调节结合部位的砌体使之吻合。调节方法可按本规范第7.2.8条的规定进行。

7.2.8 熄焦室开口部位和斜风道以上的大部分砌体使用异形砖和组合砖,故应以炉体中心为基准砌筑,以保证这些部位砌体的几何尺寸和砌筑质量。因炉壳局部变形而产生的炉壳与砌体之间的间隙,可按本条规定进行处理。

7.2.9 有耐火陶瓷纤维毡隔热层的部位均应按本条规定施工。先砌隔热砖后塞耐火陶瓷纤维毡或使隔热砖紧压耐火陶瓷纤维毡,都会降低其隔热效果。砌筑时还应防止耐火泥浆挤入耐火陶瓷纤维毡中。

7.2.10 在斜风道、预存段砌体中,环形风道、调节孔和其他孔洞全部采用异形砖和组合砖砌筑。为了保证这些部位砌体几何尺寸和砌筑质量,应以炉体中心为基准砌筑。

7.2.11 斜风道部位呈漏斗形,斜度较大,隔热砖要逐层错台砌筑。逐层填充捣实,能保证砌体与炉壳间的耐火浇注料密实。

7.2.12 斜风道分格墙中心线是依据一次除尘器和斜风道中心线与炉体中心线的交点分度刻划在炉壳上。以此中心线和炉体中心的连线为基准砌筑,能保证分格墙和调节孔的中心位置和尺寸准确。

斜风道的分格墙是向炉内伸出的,砌筑时,应防止前部的耐火砖向下倾斜。分格墙前部顶盖砖的上面是环形风道的内墙,承重较大,故砌筑时应安设支承架,防止分格墙向下倾斜。

7.2.13 因开口部位的拱正面及其上部的楔子砖均是加工砖,故施工时应按预砌的实际编号砌筑。该部位由拱及拱顶楔子砖形成斜面与上调节孔相交,楔子砖砌筑时应严格控制顶面的平整度及墙面半径。

7.2.14 熄焦室内的调节孔分为上、下两部分。下部调节孔在斜风道分格墙的顶盖砖上,上部调节孔在环形风道的顶盖砖上,两者应保持在同一个中心位置上。调节孔顶部钢盖板应在上调节孔部位砌完后,按调节孔的实际位置焊接,防止调节孔的中心位置发生变动时无法调整。

7.2.15 预存段上部砌体表面的水平膨胀缝是内外交错留设的,而上部耐火砖的重心恰好在表面膨胀缝的空隙中。如果不用木楔支撑,上部耐火砖则无法砌筑,不能保证水平膨胀缝的尺寸。

7.2.16 预存段上部锥体的轻质隔热耐火浇注料逐层填充密实,是为了在保证施工质量的前提下,方便施工。

7.2.17 因为水平膨胀缝热态时吸收耐火砖砌体的膨胀,所以上、下相邻水平膨胀缝之间的环缝不得阻碍耐火砖砌体的滑动。

Ⅱ 一次除尘器

7.2.18 本条系根据一次除尘器施工技术要求、施工图、砌砖精度和施工经验而制订。这些指标宽严适度,能满足设计及生产的要求。

7.2.19 砌筑内衬前,炉壳中心线及各层托砖板标高对各段砌体的砌筑十分重要。还应检查托砖板之间的间距及水平度,其检查标准应满足安装工艺的要求,确保各段砌体砌筑准确。

7.2.20 一次除尘器是通过伸缩节与熄焦室和锅炉相连的,为保证熄焦室及锅炉炉墙、炉底与一次除尘器炉墙、炉底平滑相接,应校核一次除尘器炉壳的中心线与标高,并在伸缩节安装合格后定位放线砌筑炉衬。

7.2.21 砌筑隔热砖前在炉壳上划出膨胀缝的位置线,是为了保证莫来石砖砌入隔热砖墙中的位置正确。上、下隔墙是插入炉体纵墙中的,在炉壳上划出上、下隔墙位置线是为了保证隔墙的位置正确。

7.2.22 本条规定排灰口分隔墙应插入前、后斜墙砌体内,是为了保证分隔墙的稳定。

7.2.23 上、下隔墙均砌筑在单环砖拱上面。本条规定找平隔墙拱顶后,其插入炉体直墙部分的砌体留槎并与直墙同时砌筑到设计标高,是为了不影响炉内材料的运输及炉体拱顶的砌筑。

7.2.24 因托砖板与炉墙之间的水平膨胀缝是隐蔽缝,故应在该层耐火砖砌完、及时清扫、检查合格后填入耐火陶瓷纤维毡。而表面水平膨胀缝在炉墙全部砌完并经检查合格后,填入耐火陶瓷纤维等材料,是为了避免砌筑上部墙体时,杂物落入表面膨胀缝内。

7.2.25 一次除尘器拱顶中心角为 60°时,拱脚砖承受的水平推力较大,故本条特别要求拱脚砖应与炉壳靠紧砌严。为了保证拱脚砖受水平推力后不位移,当拱脚砖与炉壳之间的间隙小于 6mm 时填入黏土质耐火泥浆,间隙大于 6mm 时用黏土质耐火浇注料填充。

7.2.26 一次除尘器拱顶蒸汽放散孔及其周围砌体是拱顶的关键部位,该部位后砌是保证拱顶砌筑质量的需要。因组合砖内部受力传递合理、尺寸准确、砌筑质量有保证,故蒸汽放散孔宜采用组合砖砌筑。

Ⅲ 二次除尘器

7.2.27 本条系根据二次除尘器施工技术要求、施工图、砌砖精度和施工经验制订的。这些指标既能保证铸石板的砌筑质量,又能满足设计及生产的要求。

7.2.28 由于二次除尘器内径较小,为保证内衬厚度及圆弧度,应校核炉壳半径尺寸及各段托圈之间的间距和水平度。

7.2.29 为避免焊接时热量传递到铸石板上,导致铸石板受到急冷急热后龟裂,故铸石板砌筑前,二次除尘器炉壳内托圈及金属网应焊接完毕。杂质的存在会导致内衬与炉壳分离,为保证炉壳与铸石板紧密粘结,应进行炉壳除锈和金属网焊渣清理等。

7.2.30 为了满足设计及生产的要求,二次除尘器内衬应以炉壳为导面定位放线砌筑。

7.2.31 二次除尘器内衬均由五边形及六边形铸石板砌成,为保证铸石板内衬上、下层之间的夹角一致、内径符合质量要求,故托圈上第一层铸石板砌筑前应干排验缝。

7.2.32 因铸石板是脆性材料,砌筑时用铁锤找正易导致铸石板破碎,故不得使用铁锤找正。

7.2.33 二次除尘器均采用板内埋有金属丝的铸石板砌成。嵌挂法砌筑即是将铸石板背面上的金属丝嵌挂在炉壳金属网上的砌筑方法,埋入法砌筑即是将铸石板背面上的金属丝弯成涡旋状埋入砂浆层的砌筑方法。

8 炼钢炉及相关设备

本次修订将原标题"炼钢转炉、炼钢电炉、混铁炉、混铁车和炉外精炼炉"修改为"炼钢炉及相关设备",同时新增"钢水罐"一节,并对其他各节作适当修订。RH 精炼炉分为整体式和分体式,而本章中"RH 精炼炉"按分体式 RH 精炼炉修订。

8.1 一 般 规 定

8.1.1 转炉、电炉、混铁炉和混铁车均为可倾动的热工设备,因此强调应在炉壳安装和试运转合格后,才可开始砌筑。同时还强调砌筑应在炉子的正常位置进行,以保证定位放线准确及施工安全。

8.1.2 砌筑前固定转动装置、切断电源是为了防止在施工过程中,炉体因受力、偏重、意外因素等产生转动,导致砌体松动,影响施工安全。本条为强制性条文。

8.1.3 本次修订对表 8.1.3 中各部位砌体砖缝厚度的要求进行适当调整。在满足设计及生产需要的前提下,与实际施工相吻合。

8.2 转 炉

8.2.2、8.2.3 炉底砌体按十字形对称砌筑时,上、下层砖的纵向长缝的错缝角度为 30°~60°;按同心圆环砌筑时,上、下层砖缝应错开。这样能增加砌体的整体性,同时可以防止钢水沿着贯通缝往下渗透。为了避免出钢时钢水沿砖缝冲刷损坏炉底,炉底最上一层砖的纵向长缝应与出钢口中心线成一交角。炉底十字形砌体最上层砖竖砌是为了增加其结构的稳定性,防止漂浮。

8.2.5 反拱底四周与炉身砖墙的接触面应加工成水平面,防止该接触处的砖缝过大,保证炉墙的平整。

8.2.6 因转炉内衬砖不得受湿,规定转炉内衬应错缝干砌,砖缝内应填满相应的耐火粉。为了保证干粉料填充密实,必要时应用木锤轻击耐火砖。

8.2.7 合门砖是砌体的薄弱环节,砖缝难以控制。合门时可用几种砖号调整或用加工砖合门,不得使用加工后出现裂纹的合门砖。

8.2.8 大型转炉永久层砖中,一般有上、中、下三层托砖板。下部托砖板通常是事先焊接的,而中部和上部托砖板应按永久层的实际砖层高度焊接。这样既能保证耐火砖与托砖板之间的膨胀缝符合要求,又可避免大量加工耐火砖。

8.2.10 出钢口是转炉炉衬的关键部位。出钢口的位置如不端正,出钢时钢水便会射向钢水罐的边沿或外面,易出现安全事故。故应仔细将转炉的出钢口砌筑端正,并应符合设计规定的角度。

出钢口砌体与出钢口钢壳间、出钢口工作层套筒砖和永久层砖间,按设计规定填入耐火捣打料并捣实,既可防止炉体倾动时砌体松动受损坏,还可抵挡钢水,避免烧坏出钢口钢壳。

8.2.11 活炉底分为两种:一种是整个炉底可以活动,采用水平接缝方式;另一种是炉底中心部分可以活动,采用垂直接缝方式。对接活炉底时,炉底的油压设备应有足够的上顶压力和冲程,使炉底与炉身接触严密,保证接缝的质量。为保证炉衬的严密性,水平接缝处的镁质耐火泥浆未硬化前,不得倾动炉体;垂直接缝时,须将炉衬预热,刷上粘结剂,然后分层捣实接缝内的填料。

上活炉底时,销钉应敲紧并使之受力均匀,这是保证接缝质量的关键。如销钉松紧不一,接缝处会出现裂纹或裂缝,造成漏钢水事故。本条为强制性条文。

8.2.12 由于转炉炉衬易受潮,内衬砌筑以后,应采取防潮措施,并尽快投入生产。

8.3 电 炉

8.3.1 考虑电炉炉底材料不能受潮的特性,炉底采用干砌,砖缝内应填满相应的耐火粉。为加强炉底砌体的整体性、严密性和牢固性,上、下层砖的纵向长缝的错缝角度为 30°~60°。炉底的最上一层砖竖砌是为了增加其结构的稳定性,防止漂浮。

8.3.3~8.3.6 这几条对直流电弧炉炉底电极与阴极板的砌筑质量作出严格的规定。直流电弧炉炉底是导电体,其砌筑质量直接影响供电效率、电炉的使用寿命和生产安全。因此应避免不同品种耐火材料之间出现空缝、接触不良等,耐火捣打料应密实。

8.3.7 为了防止在炉底捣打的过程中出渣孔偏移,出渣孔砖与套环砖之间的间隙应待炉底工作层捣打完毕后,用耐火捣打料填实。

8.3.9 为了保证炉底工作层的质量,炉底应分层捣打,每次铺料厚度不应超过 200mm。

8.3.10 出钢口是电炉炉衬的关键部位。为了防止电炉倾动和出钢时砌体受损,出钢口处的砌体应仔细砌筑和捣打。

8.3.11 炉盖圈若未放平,依据其所确定的中心点、控制线以及电极口等位置均会偏移,影响砌筑质量。炉盖砖应错缝砌筑,四周的耐火砖靠紧炉盖圈,其结构强度好,可以延长炉盖的使用寿命。

8.3.13 电极口砖圈的直径对电炉生产有着重要的意义。如果电极口砖圈直径过小,会影响电极棒的升降操作;如果电极口砖圈直径过大,则会造成烟尘冲出、热能损失,污染环境。

同时,为了避免影响电极棒的升降操作,各电极口中心之间的距离应符合设计规定,允许偏差为 ±5mm。

8.4 RH 精 炼 炉

8.4.2 RH 精炼炉与钢水直接接触,故对砌筑质量和耐火砖的外形尺寸要求严格。为减少砖层错牙,要求砖型尺寸合理,加工合门砖时应保证允许偏差范围。

8.4.3 组合砖尺寸准确、内部受力传递合理,能保证施工质量,环流管、浸渍管宜用组合砖砌筑。为避免二次加工,组合砖高度的允许偏差应为 0~3mm。

8.4.4 浸渍管组合砖砌在专用托盘上,各环组合砖立缝应错开。氩气管应均匀分布在砖上。组合砖环之间宜用耐火泥浆砌筑。

8.4.5 浇注成型后的浸渍管应养护24h以上,获得一定强度后才能搬动、烘烤。

8.4.6 本条为新增条文。底部槽环流管组装时应与浸渍管准确对中,避免出现较大错台。底部槽砖与环流管周围交接处的砖槎应仔细加工。该部位采用耐火浇注料或耐火捣打料施工时,应留设 50mm～70mm 的空隙并用木楔临时固定。

8.4.7、8.4.8 这两条为新增条文。底部槽和中部槽、中部槽和上部槽之间应用耐火陶瓷纤维毡铺设平整,耐火陶瓷纤维毡的厚度应以充分压实后不低于法兰面为准。对接时,密封槽应用密封胶密封严实,法兰螺栓应连接牢固。

8.5 混 铁 炉

8.5.1 混铁炉砌体以炉壳为导面定位放线砌筑,可以避免多次加工耐火砖。

8.5.2 镁砖易水化变质,应干砌。为保证砌体的整体性和严密性,干砌的镁砖应互相错缝,砖缝内应填满相应的耐火粉。

混铁炉底部黏土耐火砖和隔热耐火砖可干砌,也可湿砌。采用湿砌时,宜烘干后再砌镁砖。

8.5.4 混铁炉的后墙和端墙按炉壳错台平砌,并与平砌的前墙交错砌成整体,加工砖少,不易发生漏铁水事故。

当后墙用楔形砖砌成弧形,不与端墙错缝砌筑而成直缝时,直缝应仔细加工砌筑。尽量缩小砖缝,接触严密,使铁水不易渗透。

8.5.5 在生产操作中,混铁炉前墙经常受到铁水的冲击。出铁口两侧墙与前墙交错砌成整体、出铁口两侧墙角1m 范围以内不留设膨胀缝,可增强砌体整体结构强度,提高抗铁水冲刷和侵蚀的能力。

8.5.6 端墙烧嘴和看火孔周围约一块砖范围内,耐火砖若不紧靠炉壳砌筑,容易蹿火,烧坏炉壳。

8.5.7 混铁炉的拱顶砖是砌在拱脚板上并靠拱脚板托住的。砌筑拱顶砖之前,应检查拱脚板的焊接质量、标高和平整度,合格后才可砌筑拱顶砖。施工中应确保拱顶的砌筑质量,避免砌体因拱脚板的安装质量问题而损坏。

8.5.8 混铁炉的拱顶由于受炉壳限制,只能从两端向受铁口方向环砌。上、下层砖及填料如果不同时施工,拱胎向受铁口移动后,上层砖及填料便无法施工。因此规定上、下层拱顶及填料应同步施工。为了保证受铁口拱圈砖与周围拱顶砖形成牢固的整体,同时也便于加工砖,受铁口拱圈范围内的拱顶应错缝砌筑。

8.5.9 受铁口拱圈砖是混铁炉极易受损的关键部位。拱圈周围楔子砖的加工质量直接影响混铁炉的使用寿命。故受铁口拱圈砌体及其周围的楔子砖应仔细加工湿砌。

8.5.10 本条为新增条文。混铁炉工作层整体浇注是近年来发展的新技术,使用效果较好,应用前景广泛。炉壳四周应根据设计规定设置排气孔,为防止排气孔堵塞,施工时应进行临时密封。烘炉前应拆除临时密封,保证水蒸气排出畅通。浇注分炉底、炉墙、炉顶三个部位进行,每个部位的模板支撑框架的支设应一次完成,模板可根据施工进度逐步支设。为保证交接处的质量,交接处应留设成凸凹形或阶梯形楔口。施工中断再施工时,其楔口应按施工缝处理。

8.6 混 铁 车

8.6.1 砌筑混铁车的内衬之前,应调正罐体,并应采取措施固定罐体和车体。然后按受铁口的中心和炉壳两端部倾动中心点定位放线,按定位线前后对称、左右对称砌筑内衬,保证混铁车装铁水后重心平衡。

8.6.2 混铁车运动时,砌体很容易松动。故永久层黏土耐火砖应紧靠炉壳砌筑,不得留有空隙。

8.6.3 当铁水装入混铁车时,受铁口底部中心部位受铁水的冲击,极易损坏。混铁车下半圆砌体从中心开始向两端砌筑,有利于确保该部位的砌筑质量。由于受炉壳限制,上半圆砌体只能由两端向受铁口方向砌筑。砌筑工作层时,工作层与永久层之间的间隙用耐火浇注料填实,可以加强混铁车的整体性和严密性,防止铁水向永久层渗透,从而提高混铁车的使用寿命。

8.6.4 混铁车罐体中间一段是卧式圆柱体,两端是卧式圆锥体。由于结构形状的限制,锥体部位的砌体只能环砌,中间直筒段则应错缝砌筑。受铁口部位与两侧砌体错缝砌筑连成一体,能保证整段砌体完整、牢固。

8.6.5 下半圆工作层和永久层之间的耐火浇注料层找圆、抹光和压实是为了保证工作层符合设计规定,提高整体强度,生产后不会松动。当工作层受侵蚀后,耐火浇注料层还可防止铁水渗透。

8.6.6 混铁车的两端部与锥体部位接触处是整个内衬的薄弱环节,极易渗漏铁水,应仔细加工砌筑。为保证混铁车设备重心平衡,内衬砌筑时应保证两端部工作层的圆心与炉壳的倾动中心相吻合。同时应从两端部倾动中心往下返砖层,确定接触处加工砖的尺寸。

端部工作层砖墙砌得愈垂直,锥体部位环砌的砖就能砌得愈垂直,各环砖保持平行,内衬质量有保证。因此,要求两端部工作层砖墙立面的垂直允许偏差应为 0~2mm。

8.6.7 受铁口处的拱脚板承托着受铁口周围的砌体和耐火浇注料,而且长期受高温和振动的影响,安装时应焊接牢固、板面平整。

8.6.8 受铁口是混铁车的重要部位,现场应仔细浇注。模板应支设正确、牢固。浇注时,应四周均匀铺料、对称振捣,防止模板位移,导致受铁口变形。

8.6.9 混铁车砌筑前,应将车体安置在计划的位置,并调正固定。内衬砌筑完毕前,不得拖动车体。避免未砌筑完的砌体和耐火浇注料层在车体的行走过程中受震动而开裂,留下隐患。

8.7 钢 水 罐

8.7.1 钢水罐是用来盛装钢水的容器。为了防止钢水渗漏,砖缝的耐火泥浆饱满度不应小于 95%。

8.7.2 永久层的标高以水口座砖的基准板为准,标高允许偏差要求为正偏差,确保罐底工作层砖不低于水口座砖。同时保证水口座砖的有效厚度和出钢效果。

8.7.4 砌筑水口砖和透气砖部位时应预砌筑。调整好四周的位置,使水口座砖、透气砖座砖与炉底工作层砖同排砌筑,避免加工炉底工作层砖。

8.7.5 水口座砖、透气砖座砖定位后,应用耐火捣打料将座砖四周分层捣打密实,使其固定。耐火捣打料厚度与罐底永久层上表面同高,有利于其周边工作层砖的砌筑。

8.7.6 罐底工作层砌体应以水口座砖为基准错缝砌筑。水口座砖两边的罐底工作层砖应同时砌筑,避免将上水口座砖挤偏。砌体应错缝砌筑,砌体表面的耐火泥浆干涸前应勾缝。

8.7.7 罐底周边留设 30mm～50mm 间隙,作为罐底工作层的集中膨胀缝。该间隙用填充料填实。

8.7.8 背缝填实是为了防止背缝空隙导致工作层砌体松动,使用时渗钢、夹钢。

8.7.9 罐壁工作层采用螺旋砌筑时,起坡过渡应平缓,螺旋砌筑的收尾处很关键。采用退坡砖砌筑时,螺旋砌至预定高度后,开始砌退坡砖。砌体与罐沿板之间留设 30mm～65mm 间隙,用耐火填料捣实。如不采用退坡砖,则应采取罐沿整体浇注,胎模支设时应防止将螺旋尾部挤松。

8.7.10 耳轴区是罐体变形相对较小的区域。因此,壁砖从耳轴区开始砌筑,并在对面耳轴区合门。上、下层合门错开 3 块～5 块砖,有利于提高砌体的整体质量。

8.7.12 浇注罐底永久层前,应先安装好水口座砖和透气砖座砖的胎模,胎模应安装牢固。水口座砖胎模靠罐壁侧的两角应与罐壁等距,透气砖座砖胎模靠水口座砖胎模的一侧应与水口座砖胎模同侧平行。罐底水口基准板上表面为标高控制点。耐火浇注料上表面标高的允许偏差为正偏差是为了确保其厚度,从而保证罐底工作层不低于水口座砖。由于钢水罐罐壳容易变形,罐壁永久层耐火浇注料厚度允许偏差±10mm 内均视为合格。

9 加热炉、热处理炉和退火炉

我国自武钢1700mm冷轧、宝钢2030mm冷轧全套引进国外的设备技术后,冷轧带钢工业得到了长足发展。尤其是近十几年来,随着国内多条冷轧带钢生产线的陆续建设和投产运行,以水平和塔式连续退火炉、水平和塔式热镀锌连续退火炉、罩式退火炉等为代表的典型炉型大量应用于各冷轧带钢厂(含碳钢及不锈钢冷轧)。退火炉内衬多采用轻质内衬结构,具有良好的保温性能和抗热震稳定性,炉衬质量和环保要求更高。因此,本次修订增加"退火炉"的有关内容,并单独成节编写。由于连铸技术广泛应用后,均热炉使用得越来越少,本次修订取消"均热炉"一节。原"加热炉和热处理炉"一节中,原条文第9.2.5条、第9.2.15条、第9.2.16条取消。第9.2.5条的规定是目前加热炉内衬普遍选用的材料,规范中没有必要再明确,故取消该条文;第9.2.15条和第9.2.16条均是砌筑吊挂炉顶采用的控制方法,本次修订中不再做统一要求,予以取消。

9.1 一 般 规 定

9.1.1 本次修订保留加热炉和热处理炉部分,新增退火炉采用莫来石聚轻隔热砖砌体砖缝的要求。

9.2 加热炉和热处理炉

9.2.1 本条明确了连续式加热炉的水冷梁纵向中心线应以炉膛的纵向中心线为基准。台车式加热炉的炉膛的纵向中心线应以台车轨道的纵向中心线为基准。

9.2.2 本条明确了连续式加热炉、台车式加热炉的炉膛各部位的砌筑基准标高。

9.2.3 本条强调连续式加热炉的水管托墙与水管托座间不应有缝隙或垫松软材料,防止水管下挠而影响推钢。

9.2.5 由于轻质隔热材料难以承受长时间的高温使用,烧嘴砖与烧嘴铁件(或烧嘴安装板)之间垫轻质隔热材料时,该部位容易产生间隙,导致炉壳烧红变形。故强调烧嘴砖应紧靠烧嘴铁件(或烧嘴安装板)砌筑。

9.2.6 低压涡流式煤气烧嘴的铁件喷出口的端面应略超过烧嘴砖颈缩的起始部位或与其平行,避免出现烧嘴喷出气流不畅、回火烧红炉壳等故障。

9.2.7 水冷梁系统若不做水压试验和试通水就开始筑炉,试车时水冷梁漏水或不通畅,容易造成筑炉工程返工,严重时可能会影响连续式加热炉的正常生产和操作安全,故强调必须在炉体砌筑之前做水压试验和试通水。本条为强制性条文。

9.2.8 步进式加热炉水冷梁系统的包扎工程量较大、结构空间小、形状复杂。若不采用装配式异形钢模板,包扎工程的质量难以保证。耐火浇注料衬体的厚度应符合设计规定且均匀、密实。

9.2.9 水冷管包扎是重要的节能措施之一。类似加热炉炉内的水冷管,均应采取包扎措施。本条明确规定了水冷管包扎应注意的技术要点和措施。

9.2.10 环形加热炉炉底边缘砖、炉墙凸缘砖及其以下的炉墙间的间隙(冷态尺寸),设计已考虑炉体加热后各部位砌体膨胀的影响。施工时应注意其间隙不应小于设计规定的尺寸,避免影响炉体的正常运转。

环形加热炉内环炉墙采用楔形砖砌筑时,若楔形砖大头朝向炉内,炉墙受热膨胀后,内环炉墙结构会变松散。如果砌筑时内环炉墙就向炉内倾斜,生产时内环炉墙就更容易倾倒。

9.2.11 吊挂铁件的中心距、相对标高差直接影响炉顶吊挂砖的砖缝厚度、吊挂砖间的错台等。因此挂砖前应检查吊挂铁件的质量,吊挂铁件的中心距、相对标高差应符合本条规定。

9.2.13 砌筑辊底式炉时,采用金属模具预留炉辊孔洞,既能加快施工速度,又能保证施工质量。

9.2.14 以炉壳为导面铺设各层炉衬,能保证层间严密无空隙。炉墙较高时,炉衬宜从上往下逐段施工,可避免炉衬受到损坏和污染。

9.3 退 火 炉

9.3.1 目前莫来石聚轻隔热砖砌筑的退火炉所采用的胶泥,其抗折粘接强度大于莫来石聚轻隔热砖的抗折强度。若交错留设膨胀缝,生产时受温度变化的影响,隔热砖会出现不规则的开裂或拉裂,影响炉子的整体寿命。炉底膨胀缝应按设计规定填塞充填物。设计无规定时,炉底工作层膨胀缝内一般填塞相应规格和品种的耐火陶瓷纤维板,非工作层填塞相应规格和品种的耐火陶瓷纤维毯。

　　本条特别强调应注意膨胀缝之间的滑动缝,并应准确留设。否则将影响其滑动功能,严重时还可能导致砌体的破损。

9.3.3 退火炉炉衬采用同种规格不同分级温度的层铺式耐火陶瓷纤维毯时,可以要求耐火材料供应商生产或包装时,做好标识,便于施工现场区分。立式退火炉由于炉墙较高,炉衬宜从上往下逐段施工。

9.3.6 不锈钢保护板的镶装应从上往下逐层进行,下层保护板压住上层保护板,主要是防止耐火陶瓷纤维毯的渣球等掉落炉膛内影响带钢表面的质量。镶装时应再次核对是否有锚固钉漏钉现象,若漏钉应及时补焊。保护板安装调整后外夹钢垫,并拧上外螺母。外螺母拧紧后,再退回半圈螺纹,防止保护板受热膨胀变形。确认无误后将外螺母与锚固钉点焊,防止外螺母松动掉落。采用氩弧焊焊接能保持炉内洁净。

10 闪速炉、艾萨炉、回转熔炼炉、矿热电炉、卧式转炉、固定式精炼炉和回转式精炼炉

近十年来,有色金属行业发展很快,引进了具有世界先进水平的新工艺、新炉种。本次修订依据工艺流程,重新排列炉种顺序。

取消"反射炉"一节是因为该炉种熔炼工艺落后,能耗高,劳动强度大;SO₂未经回收就排放,环境污染严重;现行国家标准《铜冶炼厂工艺设计规范》GB 50616 已明确严禁采用反射炉熔炼工艺。

增加"艾萨炉"一节是因为该炉种是目前世界上有色金属行业较为先进的炉种,且已在国内推广使用。

增加"固定式精炼炉"一节是因为该炉种在中小型冶炼企业普遍使用。

增加"回转式精炼炉"一节是因为国内外有色金属行业已广泛使用该炉种,特别是冶炼过程中通过透气砖组底吹氮气的新技术,代表了未来的发展方向。具有减少能源消耗,提高熔化速度,增加产量,提高产品质量和改善环境等优点。

10.1 一般规定

10.1.1 本条所列炉种各部位砌体砖缝的厚度是根据原规范并结合生产经验而修订的。

10.1.2 退台砌筑能使捣打层的厚度趋于均匀。反拱捣打层厚度过薄则不易捣实,其厚度不应小于 50mm。

10.1.3 分层捣打是保证捣打层致密的必要措施。为了保证捣打层与下部砌体、捣打料层与层之间紧密结合,在捣打前应清扫下部砌体的表面并喷洒少量卤水润湿。在捣打上一层耐火捣打料前,

应将下一层已捣表面耙松 4mm～5mm。捣打层的弧度是保证捣打层上部砌体弧度的先决条件，故规定捣打层表面与弧形样板间的间隙不应超过 3mm。

10.1.4 上部有耐火捣打料的反拱，其下部黏土耐火砖层留设排气孔是保证耐火捣打料烘炉时排气通畅的重要措施。

10.1.5 因干镁砂粉的流动性好，能保证砖缝填充饱满，故干砌时所采用的镁砂粉应干燥。

10.1.6、10.1.7 由纵中心线同时向两侧对称错缝砌筑可以保证反拱弧度、拱脚对称一致。反拱与拱脚、端墙下部与反拱面的相接处如不严密，容易出现熔体渗漏。采用烧制的成品拱脚砖，施工便捷。如果采用现场加工的拱脚砖，则应仔细加工并湿砌。

10.1.8 砌体与炉壳之间的耐火填料除起隔热保温作用外，还有吸收砌体膨胀的作用。如果耐火填料填充不密实，当砌体转动或升温膨胀时，会出现砌体松动或熔体渗漏等事故。耐火填料每砌完 3 层～4 层耐火砖后填充一次，便于填实和捣紧。

10.1.9 孔洞部位经常受到高温熔体的冲刷及机械的碰撞，容易松动损坏。风口区是炉衬最重要的部位，该部位温度高、化学反应激烈、熔损速度较快，是决定炉子使用寿命的关键。故应仔细错缝湿砌，以提高砌体的整体强度。

10.2 闪 速 炉

10.2.1 为了保证砖缝内耐火泥浆密实，应在砖缝半干状态时勾缝。

10.2.2 闪速炉的冰铜口、渣口等各孔洞部位的组合砖，应在施工前预砌筑。必要时可根据其尺寸要求进行加工，以保证该部位的砌筑质量。

10.2.3 H 形钢梁是一种镶在砌体中、伴有带翅片冷却水管的梁，是闪速炉特殊立体冷却系统的重要组成部分，这种梁能保证大型闪速炉的稳定作业。因此在浇注钢梁的耐火浇注料时，应注意保护好钢梁内预埋的水冷铜管,并将水冷铜管周围浇注密实。浇注后应按规定养护,达到吊装强度后才可安装,以确保其质量。

10.2.4 闪速炉反应塔是精矿、燃料及预热空气等进行混合、熔炼反应的高温区域,该处内衬的工作条件非常苛刻。其连接部(反应塔与沉淀池拱顶、上升烟道与沉淀池拱顶的相接处)的耐火砌体不断承受着高温火焰、含尘烟气以及熔体的冲刷,极易损坏。将带有翅片的水冷铜管和水平铜水套围绕整个塔侧墙,与各部位的水冷梁一起构成闪速炉的特殊立体冷却系统。它不仅能延长耐火内衬的使用寿命,而且能很好地改善操作条件。故应保证各部位水冷铜管处耐火浇注料的施工质量。与耐火浇注料接触的镁铬砖表面应采取刷沥青漆等防水措施,保证砌体的质量。

10.2.6、10.2.7 由于沉淀池底砌体与熔体接触,不仅要防止渗漏和炉底砖上浮,同时还应防止砌体因受热膨胀而出现裂缝。采用反拱底是防止炉底砖上浮的重要措施之一,而反拱拱脚是保证反拱砌筑质量的重要环节,故反拱底应预砌筑并仔细加工调整拱脚砖。

砌筑最上一层反拱底前,应用砂轮将下层反拱表面的凹凸不平处磨平。避免砌体点受力,保证两层反拱底紧密接触。

最上一层反拱底的拱脚表面用砂轮磨平,并与端墙平面层找平,是为上部炉墙的砌筑打基础。

10.2.8 各孔洞经常受到高温熔体、固体物料、高温气体的冲刷和机械碰撞,容易出现松动和渗漏。故砌筑炉墙有孔洞的部位时,应从各孔洞处的组合砖开始,并应仔细砌筑。

10.2.9、10.2.10 反应塔内生成的熔体落入沉淀池后,形成的冰铜与炉渣在池内分离沉降,烟尘随气流流动逐渐沉降。位于反应塔下方沉淀池的端墙和正下方的侧墙,与沉淀池后部(烟气出口处)一样,受烟气流的影响,熔体冲击炉墙损坏砌体。渣线以下砌体,除选择优质的耐火材料外,也应像反应塔一样,采用水冷却元件进行冷却。为防止冷却系统在施工过程中损坏,应先安装单件水冷却元件,并经水压试验检查合格后才能继续砌筑。砌体与冷却件应紧密接触。炉墙铜水套与镁铬砖或熔铸砖砌体之间的间隙均应用耐火填料捣实,以增强砌体的整体性,保证冷却效果。

10.2.11~10.2.13 为防止沉淀池顶部砌体变形受损,保护好两端连接部,采用垂直铜水套或水平 H 形钢梁。吊挂在垂直铜水套或水平 H 形钢梁之间的镁铬砖应按要求砌筑,拱形炉顶应用楔形砖楔紧。

10.2.15 沉淀池炉墙四角处预留的空隙属集中膨胀缝,用于吸收砌体膨胀和测量砌体膨胀值。故应在炉子升温之后、投料之前,待砌体完全膨胀后填充耐火填料。

10.2.16 反应塔呈圆柱形,由铜水套或三圈同心的 H 形钢梁及砌体构成。因 H 形钢梁接缝处的加强板凸起于钢梁表面,故应将该接缝处的耐火砖仔细加工找平。H 形钢梁周围的带槽砖应与钢梁上的支撑圆钢环配合砌筑。各环锁口砖也应仔细加工,按规定位置锁口,使砌体均匀地承受荷载。

10.3 艾 萨 炉

10.3.1 由于该炉熔炼温度较高,冶炼条件较苛刻,喷枪吹氧时,炉内反应迅速且熔体激烈旋转产生喷溅与冲刷,故耐火砌体的质量要求严格。为加强砌体的整体性与安全性,要求该炉各部位砌体错缝湿砌,以保证长周期冶炼生产。

10.3.2 为了避免或者减少炉底高铝砖层与炉壳交接处的加工,宜采用相应材质的耐火捣打料将周边的缝隙填满捣实。这种施工方法能吸收高铝砖砌体的部分膨胀,实践经验证明安全可行。

10.3.3 捣打层施工完毕后,应按烘炉曲线烘烤,排出炉底砌体的水分。当采用碘钨灯加热烘烤时,捣打层上方应搭设临时顶盖棚,避免热量流失。

10.3.4 为保证备用层与工作层弧形反拱炉底的砌筑质量,防止熔体渗漏,应预砌筑。砌筑时,上、下两层反拱砖应错缝砌筑,两层反拱砖之间应用 10mm~100mm 厚的耐火捣打料找准弧度。反拱拱脚砖应精细加工,同时保证工作层弧形反拱底的最低点与排空口在同一水平位置上,便于停炉检修时排空炉内熔体。

10.3.6 砌体与炉壳之间的耐火填料除起隔热保温作用外,还有吸收砌体膨胀的作用。如果耐火填料填充不密实,当砌体转动或升温膨胀时,会出现砌体松动或熔体渗漏等事故。要求逐层填充,便于填满捣实。

10.3.7 炉顶罩上设有喷枪孔、加料孔、喷嘴、仪表孔及余热锅炉烟气进入口。炉顶罩使用高强刚玉钢纤维增强耐火浇注料制作。受热钢构件表面喷刷耐高温油漆,能吸收升温过程中的膨胀。炉顶罩耐火浇注料板块施工完毕,应按规定养护后安装。安装时应选择好吊装支点,避免损坏。炉顶罩耐火浇注料板块安装完毕后,板块之间的缝隙应用耐火陶瓷纤维绳塞紧。

10.3.8 堰口及安全排放口是该炉重要的砌筑部位,应预砌筑。由于堰口是耐火材料等的重要运输通道,故在砌完炉底工作层即弧形反拱砖层后,可先将下方局部炉墙砌至一定高度,然后再砌筑堰口部位及相应的炉墙。这种施工方法可节省大量的人力物力,保证施工进度与砌筑质量。

10.4 回转熔炼炉

10.4.1 机械转动调试过程中的振动等因素可能损坏炉衬,故强调机械转动调试应在炉衬砌筑前进行。

10.4.2 在炉体托圈上安装临时机械限位装置是确保施工安全的必要措施。为了保证施工安全和烘炉期砌体的稳定,采取了断电和安装临时机械限位装置固定的双保险措施。待烘炉完成、炉体膨胀均匀后拆除炉体托圈上安装的临时机械限位装置。

10.4.3 为便于运送施工材料,施工前应拆除放渣端端盖。

10.4.4 本条强调圆周起首两层砖应同时砌筑,并保证两层砖之间的纵向砖面与炉体纵向剖面相吻合,便于控制砖层的平整度,保证工程质量。

10.4.5 冰铜口的位置和角度要求准确。为保证放出口位置的准确性,冰铜口砖应先砌。冰铜口周围的耐火砖湿砌是为了加强该部位砌体结构的整体性,防止渗漏。

10.4.6 风口区是该炉的关键部位,风口区寿命的长短决定着整个炉体的寿命。为了保证风口区砌体整体结构的强度,要求全部湿砌,不得留设膨胀缝。并在炉壳和砌体之间填充导热性能好的碳化硅质耐火泥浆,便于炉衬传热。

10.4.7 端墙与圆周砌体之间是弧形面相接,只有精细加工才能保证结合严密,防止渗漏。

10.4.8 圆周上半部砌筑采用钢质拱胎支撑法,是该炉施工的特点之一。

10.4.9 炉口后部反拱因固定砌筑、炉口朝上,施工难度较大。本条规定的方法可以解决炉口反拱砌筑中的难题。

10.4.10 炉口是该炉的易损部位,砌筑时应保证结构牢固。锁口时,锁砖在卧式圆形砌体顶部。若使用直形砖,砌体极易松动,影响使用寿命。

10.4.11 本条为新增条文。透气砖的作用是向炉内供气,改善冶炼条件。在砌筑时应按要求进行施工和保护,不得堵塞透气孔。

10.5　矿　热　电　炉

10.5.1 矿热电炉种类很多,本节仅指铜、镍熔炼及渣贫化所用的矿热电炉。

10.5.2 若接地线铜带不按规定伸出炉底上表面,则失去了接地线的作用。接地线露出炉底上表面,如与炉底砌体结合不严密,会引起炉底泄漏,故应按要求仔细砌筑。

10.5.3～10.5.5 因矿热电炉炉顶结构复杂、孔洞较多,如位置不准确,会影响炉顶设备的安装。故重点强调炉墙上表面的表面平整偏差和两侧墙上表面的相对标高差。同时,耐火浇注料预制块四周的耐火砖应砌紧,保证炉顶结构的稳定,防止塌陷。

10.5.6 当炉顶采用耐火浇注料现场浇注时,应对下部炉墙和炉底的镁质、镁铬质耐火砖砌体采取防水措施,防止受潮水化。H形水冷钢梁是大跨度现浇炉顶的重要结构件,其耐火浇注料的施工应在具有防雨、防晒的场地内进行。耐火浇注料的养护期一般为 10d~14d。

10.6 卧 式 转 炉

10.6.1、10.6.2 砌炉应在炉体转动装置试运转合格后进行。转动砌筑法操作方便,是提高砌筑质量的有效方法。但应做好已砌筑部分的支撑,保证施工安全。

10.6.3 砌筑前用耐火陶瓷纤维等材料将炉壳活动端盖与筒体间的缝隙塞实,防止砌体松动或炉壳变形。

10.6.5 端墙干砌便于施工,不影响炉衬的使用寿命。因铅的熔点低、密度大、容易渗漏,故炼铅转炉的炉衬应全部湿砌,提高砌体的抗渗漏能力。

10.6.6 端墙与炉壳端盖之间的耐火填料边砌边填,容易填实。但不能捣得太紧,以便充分吸收端墙砌体的热膨胀,防止端墙受热后向炉内倾斜。端墙与炉壳筒体间的耐火填料应逐层捣实,防止炉体转动时耐火填料受压缩后导致砌体松动。

10.6.7 先砌端墙便于圆周内衬的拆修,同时圆周内衬对端墙能起加固作用。大型卧式转炉端墙砌体的自重大,施工中炉体转动时,耐火填料压缩导致砌体松动位移,故应用木楔楔紧受压部分。

10.6.9 圆形砌体的放射缝应通过圆心,在炉壳没有变形的情况下,端墙圆心垂线间的连线即可定为第一层砖的基准线。如果炉壳有变形,可通过调节砌体与炉壳之间耐火填料的厚度来保证砌体的圆周半径。

10.6.10 随着卧式转炉炉衬砖型的优化设计、耐火材料产品质量的提高、砌筑工艺及水平的进步,目前国内已经没有采用直形风眼砖的砖衬结构,而是采用风眼砖以及风眼砖上部砌体的砖缝均通过圆心的砖衬结构。该砖衬结构不易塌陷和"抽签"掉砖,且砌筑方便,使用寿命长。故本次修订删除了采用直形风眼砖的内容。砌筑风眼砖时,应放正砌平。

10.6.11 风眼区砌体温度高,冶炼过程中捅风眼机对砌体震动大。近年来,随着耐火材料新产品不断涌现,本次修订将风眼区耐火填料改为耐火浇注料。该措施既可防止风眼区砌体受震动后松动,提高整体强度,还便于施工。

10.6.12 锁砖不紧或内、外砖缝不一致,会导致锁砖受力不均匀,砌体松动塌陷。

10.6.14 卧式转炉筒体部位应先砌筑风眼砖,再沿风眼砖两侧依次砌筑筒体部位的其余砖层。大直径卧式转炉的圆周砌体,端墙等部位采用干砌,而风眼区、炉口等部位采用湿砌。若炉体未经烘烤就转动,耐火填料受压极易松动,甚至会出现砌体塌陷的事故。故只有经过烘烤,砌体膨胀、挤压牢固后,才能自由转动。

10.7　固定式精炼炉

10.7.1 炉底黏土耐火砖一般干砌。避免烘炉时,水分蒸发导致上部砌体水化,降低使用寿命。

10.7.2 炉底第一层砖是保证整个炉底及炉墙砌筑质量的基础层,故应按测量确定的水平线纵、横拉线砌筑。

10.7.3 渣线以下砌体因与熔体接触,故其砖缝一般干砌,砖缝厚度不应超过 1.5mm。所用的耐火砖应进行预选和加工,才能保证砖缝要求。渣线以上砌体因不与熔体接触,为减少砖加工和提高砌体的气密性,采用湿砌,砖缝厚度不应超过 2mm。

10.7.4 加料口区域系炉体的关键部位,时常会受料块的碰撞,错缝湿砌可提高整体强度。

10.7.5、10.7.6 镁铬质耐火捣打料的施工方法和捣实程度的检查方法是根据多年的施工经验制订的,经实践证明是行之有效的。

10.8 回转式精炼炉

10.8.1 回转式精炼炉因其产品为酷似羊角的铜板块,故也称铜阳极炉。因在砌筑过程中需要转动炉体,故炉衬砌筑应在炉体转动设备安装调试并验收合格后进行。

10.8.2 回转式精炼炉炉温要求较高,冶炼条件较苛刻。特别氧化还原期,铜水渗透性强。故全炉各部位采用湿砌,防止铜水渗漏。

10.8.3 砌筑两端墙时,炉体转到接近正常操作位置并使透气砖的炉壳开孔垂直向下,能保证烧嘴孔、取样孔角度准确,便于砌筑透气砖座砖,保证施工质量。

10.8.4 钢模高度为保温板和保温层黏土耐火砖的高度之和,是为了便于合层。

10.8.5 制作基础支座是为了防止铜水向外渗漏。

10.8.6 由于该炉能 360°转动,为方便施工,宜采用转动支撑法砌筑。炉体转动前应将已砌筑好的部位支撑牢固,确保安全。

10.8.7 透气砖组由座砖、袖砖及芯砖组成。由于透气砖周围冲刷严重,座砖先于炉体其他部位砌筑并以其所在的直线定位放线,能使交口加工砖尽量远离透气砖,保证施工质量。

10.8.8 为了填充密实,球形端墙与炉壳之间的耐火填料应边砌边填。对于弹簧压紧的端墙,应先砌端墙再砌直筒部。

10.8.9 氧化还原风口、出铜口、烧嘴孔及取样孔应预砌筑,且精确控制角度,有利于保证砌筑质量。出铜口与氧化还原风口有钢壳法兰,此处直筒部耐火砖砌筑时应精细加工,避免因砖切割加工而导致漏铜。

10.8.10 本条重点强调炉口的上、下双反拱砖是炉体的关键和易损部位。由于炉体设备及耐火砖重量大,且转动比较频繁,其结构的稳定性主要由炉口上、下双反拱砖来保证。在冶炼生产中,由于铜液和渣的侵蚀、烟气冲刷以及冷、热空气产生的热震,该部位极易损坏。故要求炉口的上、下双反拱砖湿砌且砖缝厚度小。升温后直筒部的耐火砖向炉口处膨胀,若反拱砖中腰部的拐角部位太薄,则容易断裂。故当第二层反拱砖需要加工时,不得加工该部位。本条为强制性条文。

10.8.11 砌筑完后安装透气砖的锁紧装置时,若袖砖和芯砖的砖缝厚度偏大,容易被压坏。

10.8.12 炉体砌筑完毕至升温到冶炼操作温度前,不得随意转动炉体。否则砌体相对滑动,会产生漏铜的风险。

11 铝电解槽

11.1 一般规定

11.1.1 随着技术发展,碳化硅砖或异形侧部炭块用作铝电解槽内衬的侧部材料,故本次修订增加相关规定。

11.1.2 表 11.1.2 项次 1(1)中规定的拉线法,是指施工中先在槽壳上部的侧壁上测几个水准点,据此拉线检查其与底表面的距离差。

11.1.3 针对炭素材料及制品不能受潮这一特性,要求铝电解槽的筑炉施工应在厂房基本建成,保证不受雨雪影响的条件下进行。内衬施工完后,不能长期搁置,应及时投产,这样对槽体的质量和使用寿命都是有益的。

11.1.5 由于炭素材料的生产厂家较多,各厂的原材料和生产工艺条件也不尽相同,其产品的性能也不一致。为了保证材料相互匹配,建议采用同一厂家的产品。

11.1.6 控制阴极和阳极的比电阻是本规定的目的。施工中可采用喷砂或酸洗除锈,劳动强度低,施工进度快。

11.2 内 衬

11.2.1 由于槽底隔热砌体内的水分不易排出,国内外均将槽底下部的隔热层设计为干砌。氧化铝粉的流动性好,容易填满砖缝,能保证隔热效果,故在此予以强调。

11.2.3、11.2.4 槽底黏土耐火砖或干式防渗料顶面的标高,取决于每台铝电解槽槽底板的表面平整偏差、阴极窗口的制作偏差和阴极炭块组的构造等因素,并以此来确定其下部找平层的厚度。

在确定槽底黏土耐火砖或干式防渗料顶面的标高时,应保证阴极钢棒位于阴极窗口的中心,这是确保阴极炭块组安装质量的关键。施工时,应引起充分的重视。为保证槽底部具有一定的伸缩性,在允许厚度范围内可以不分层振捣。

11.2.5 当侧部内衬为砖砌体时,砌体与阴极钢棒之间采用软连接,易于槽底部阴极炭块的膨胀。

11.2.6 实践证明采用耐火浇注料浇注侧部阴极钢棒周围是可以满足生产要求的。

11.2.7 根据国内多年的施工经验,侧部炭块干砌并填氧化铝粉时,为填满砖缝,可先在砖缝表面涂抹一层耐火泥浆。待捣固炭素捣打料前,再将耐火泥浆清除干净。

固定侧部炭块分两种情况:当有固定槽沿板时,可在槽沿板与侧部炭块之间的间隙内打入木楔;当无固定槽沿板时,则用特制卡具将侧部炭块固定于槽壳上。

目前多数槽型已采用碳化硅砖,侧部碳化硅砖亦可采用该方法固定。本次修订增加了碳化硅砖的相关内容。

11.2.8 由于槽壳的原因,角部炭块与槽壳之间通常会有较大的缝隙,故应用耐火浇注料填实。

11.3 阴 极

11.3.1 控制好炭槽的加工尺寸,对确保阴极炭块组制作和安装的质量是必要的。本条规定是根据各铝厂的大修规程和相关设计规程的技术条件汇总而成。为保证阴极钢棒能安装到炭槽内,并且有足够的空间完成下一道工序,本次修订将炭槽中心线与炭块中心线之间尺寸的允许偏差修改为0~1.5mm。

11.3.2 制作阴极炭块组的技术规程应由设计单位提出,其主要内容包括耐火浇注料的性能、配合比及操作条件、操作工艺等。

为保证阴极钢棒安装到炭槽后,有足够的空间捣固炭素捣打料,本次修订将阴极钢棒中心线与炭槽中心线之间尺寸的允许偏差修改为0~1.5mm。

为了保证施工中炭块组能够安放平稳、焙烧阴极时钢棒不会下沉,炭素捣打料或阴极钢棒的表面应与炭块表面持平。

11.3.4 安装阴极炭块组时,先行放线和自阴极中心向两端进行的安装顺序,是确保阴极中心与阳极中心一致的有效措施。

采用经过加工的阴极炭块,炭块组之间的垂直缝的宽度与设计尺寸之间的允许偏差控制在±2mm,对施工及生产有益,故制订本条规定。

11.3.6 大容积铝电解槽炭块组之间的垂直缝内、炭块组与侧部内衬之间的缝隙各部位,不仅断面不一,生产条件也有差异,故应采用规定配合比的炭素捣打料捣实。为保证炭素捣打料与接触面之间紧密结合,应在与炭素捣打料接触的表面喷涂一层相应的结合剂。严格控制其铺料厚度、捣固后的厚度以及捣固风压。

11.3.8 炭素捣打料捣固质量的主要检查手段是检测炭素捣打料的压缩比。由于施工条件及炭素捣打料配合比的差异,施工前应进行试验,以确定炭素捣打料的压缩比。同时在试验中,亦需确定铺料厚度、捣固风压、捣固锤的速度及捣固遍数等参数。

11.3.9 为防止捣固过程中阴极炭块组移动,先在阴极炭块组两端采取固定措施是必要的。可采用木楔及双向顶丝等工具固定。

11.3.10 对较大容积的铝电解槽,炭块组与侧部内衬之间的缝隙总长可达 30m,宽度可达 600mm 以上,炭素捣打料用量较多。采取分段施工可减少炭素捣打料的加热设备,缩短各层间的施工间隔时间,确保工程质量。

11.4 阳 极

11.4.2 本条是根据设计规定和各铝厂的大修规程提出。实践证明,本条可以满足阳极安装及生产的需要。

炭阳极水平方向的裂纹既影响其导电,又影响使用寿命。故在本条第3款中加以明确规定。

12 炭素煅烧炉和炭素焙烧炉

12.1 一般规定

12.1.1 表 12.1.1 中的数值均沿用原规范的规定。实践证明,能够满足生产需要。

12.1.4 为了保证正式砌筑时砌体接缝严密,本条强调预砌筑。

12.2 炭素煅烧炉

12.2.1 表 12.2.1 中的数值均沿用原规范的规定。实践证明,能够满足生产需要。

12.2.3 炭素煅烧炉硅砖砌体的砖缝厚度,设计规定:煅烧罐和火道盖板为 2mm±1mm;火道隔墙和四周墙为 3mm±1mm。

鉴于生产工艺要求煅烧罐和火道盖板的硅砖砌体应严密,但砖缝过小对其饱满度不利,故规定施工中应尽量将砖缝厚度控制在 2mm~3mm,确保砖缝的饱满。

12.2.4 为了提高砌体的严密性,需要勾缝。煅烧罐外的砖缝应在每层火道盖板砖砌筑前勾缝,否则勾缝无法进行。虽然煅烧罐内的砖缝可在施工完成后再勾缝,但是不能随时发现和处理施工中可能出现的质量问题,勾缝也不方便,故在此予以强调。

12.2.5 该部位砌体为异形砖,且两面均为工作面,砖面不允许加工,砌筑时很难保证墙面平整。故本条仅规定"不得有与排料方向逆向的错牙",而顺向错牙则规定不应超过 2mm。

12.2.7 由于硅砖砌体在烘炉过程中的膨胀较大,顶部砖层容易产生裂缝,需在烘炉结束后灌浆修整,故炉顶隔热层和耐火浇注料应在砌体修整后施工。

12.2.8 本条为新增条文。为保证每层测温孔、看火孔、清渣孔的铸铁件位置准确,应随砌随安装。

12.3 炭素焙烧炉

12.3.1 表 12.3.1 中的数值均沿用原规范的规定。实践证明,能够满足生产需要。

本条中密闭式焙烧炉的烧嘴中心的标高允许偏差,是针对烧嘴设在火井墙上的结构形式而言。若烧嘴设在炉盖上时,则此项规定不作为质量标准。

Ⅰ 密闭式焙烧炉

12.3.2 为了防止中间烟道两侧的侧墙在生产过程中向炉内倾斜,导致料箱墙变形,侧墙设计为弧形砌体,在墙上排出几层砖台用来支撑料箱墙。施工中保证各层支撑砖台在同一垂直面上,是确保料箱墙墙面垂直的先决条件。

12.3.3 中间炕面砖仅四角支承在其下的砖墩上,料箱墙的砌筑在炕面砖上进行。为了确保炕面砖的砌筑质量,特提出本条要求。

12.3.5 生产过程中,煤气管端部与烧嘴接触部位易出现冒火或漏气的现象。故施工中应保证煤气管端部与烧嘴在同一中心线上,两者接触处密封严密。

12.3.6 角砖均为大块异形砖,不便加工。施工中只有确保四角各成直线,才能保证炉盖符合设计规定。

"炉盖边缘的异形砖应紧靠框架砌筑",即不得在其间垫衬其他填充物,且砖缝不应过大,以免炉盖在生产过程中变形。

12.3.7 炉盖施工一般在炉本体以外进行,且在生产过程中需频繁吊运。故强调炉盖在吊运过程中应受力均匀,砌体不得松动。本条为强制性条文。

Ⅱ 敞开式焙烧炉

12.3.8 本条规定是为了保证炉子的标高和尺寸。

12.3.9 为了保证横墙与侧墙或火道墙的接合处的膨胀缝尺寸准确、平直,确保砌体不因膨胀受阻而变形或破坏,特提出本条规定。

12. 3. 10、12. 3. 11　敞开式焙烧炉的生产工艺要求火道封顶砖下部砌体的砖缝应有一定的透气性,以便生产时被焙烧制品的挥发分能充分进入火道内燃烧,达到节约能源、保护环境的目的。

12. 3. 12　施工中先将胀缝纸贴在槽内的侧面上,再砌筑火道墙。插砌火道墙端部砖时,需用 0.5mm 厚的薄铁皮保护胀缝纸。

12. 3. 17　本条为新增条文。有的火道墙顶预制块尺寸较大,为保证炉室线尺寸及标高,增加预制块的尺寸允许偏差的要求。由于预制块只能采用机械安装,故强调对已完工的火道墙的保护。

12. 3. 19　本条为新增条文。火道墙是该炉种的主要热工通道,不得堵塞。

13　玻　璃　窑　炉

　　玻璃熔窑,指玻璃制造中用于熔制玻璃配合料的热工设备。本次修改为玻璃窑炉,涵盖范围广,包括玻璃熔窑、冷却部、锡槽等部位。

　　本次修订在原规范的基础上,吸收了近年来我国自行设计和引进的玻璃生产线及附属设备的施工经验;原规范的要求经过多年施工实践证明是适宜的,故仍予保留;本次修订对原规范的部分序号进行调整,以形成玻璃生产线的统一要求。

　　本次修订取消澄清部,根据国内外的施工情况,澄清部在熔化部内;同时增加卡脖位置,也就是炉腰。近年来,各类型玻璃生产线的设计已经更新。原规范中第13.4.1条～第13.4.3条的施工方法不再适应新设计的要求或很少使用,故予以删除。

　　压延玻璃生产线、玻纤窑和马蹄焰窑耐火材料的施工也可参照本规范执行。

13.1　一　般　规　定

13.1.1　本条根据玻璃窑炉的功能和使用要求规定干砌的部位。本次修订增加小炉、流道熔铸砖、锡槽部位及压延线、玻纤窑的通路和料道等干砌部位。因部分吊挂平拱现已采用湿砌,故条文取消干砌的要求,吊挂平拱可根据设计规定砌筑。

13.1.2　干砌的砌体内砖与砖之间相互靠紧,砖缝内不填充干耐火粉。对干砌部位的耐火砖进行挑选、加工和预砌筑是保证工程质量的重要措施。

13.1.3　根据多年来玻璃窑炉的使用要求和耐火制品出厂的外形尺寸允许偏差,及对其加工所能达到的水平,规定玻璃窑炉各个不同部位砌体的砖缝厚度要求。因澄清部在熔化部内,本次修订取消"澄清部",并增加"卡脖"位置。

13.1.4 本条是根据近年来我国玻璃窑炉不断采用的新技术、新工艺修订而成。

(1)项次1(1)和2(1)、2(2)是为了保证格子体的稳定性和砌筑质量。

(2)项次1(3)的规定对玻璃窑炉生产时炉内温度的分布和窑炉内相关部位的砌筑非常重要。若小炉实际中心线偏差过大,熔铸砖胸墙可能无法砌筑。

(3)项次1(4)、2(3)和2(4)是为了保证池底砖位于黏土耐火砖垛中心位置。保证池底砖的砌筑质量,也是从安全生产角度提出。本次修订提高了项次2(3)的精度,是因为熔池池底黏土耐火砖砖垛顶面标高的允许偏差不宜为正偏差。

(4)项次1(5)对供成型的玻璃液分配、玻璃液的浮抛质量及玻璃带板根的稳定起重要作用。

(5)项次1(6)、2(6)和2(7)对锡槽提出要求。这些规定有助于提高玻璃的表面质量,通过努力是能够达到的。

13.1.5 根据玻璃窑炉多年的砌筑经验,具体规定应预砌筑的部位。一种情况是结构较复杂、砌筑要求严格,在施工现场很难保证加工精度和砌筑质量,需要进行预砌筑,并编号配套;另一种情况是熔铸砖外形尺寸偏差大,为保证砖缝厚度,规定预砌筑并编号配套。根据窑炉部位和质量要求,"池壁"亦为重要部位,本次修订增加相关内容。

13.1.6 池底的大型黏土耐火砖的外形尺寸若偏差大,不经仔细加工将无法达到砌筑质量要求。由于加工后的砖表面的耐侵蚀性能大大降低,故接触玻璃液的一面不允许加工。

13.1.7 采用真空吸盘可保证黏土耐火砖垛不出现松动,池底砖砖角不易被碰坏,有利于保证池底的砌筑质量。有些玻璃窑炉池底砖是均匀架托在窑底钢结构最上层的扁钢上,考虑到扁钢受热后自由膨胀,安装时不能与下层钢结构固定牢固;且池底砖砌筑时,扁钢的位置容易错动,故应按设计规定核对扁钢的位置。为防止窑底扁钢在施工时挪动,可采取临时固定措施,但施工完后应将临时固定措施拆除。

13.1.8 池底矩形部位的砖缝均应纵、横对正,便于膨胀和检修时替换。现行设计中,池底膨胀缝内不允许有任何杂物,包括纸板。故夹纸板留膨胀缝的方法未纳入本条中。

13.1.9 将砌筑池壁处的池底砖上表面测量找平,是保证池壁顶面标高和池壁砖砌筑质量的有力措施。施工中不能出现池壁砖外缘伸到池底以外的情况,这是安全生产的需要。

13.1.10 大型玻璃窑炉池壁较长,受热后总膨胀量较大,规定留直缝不交错砌筑是为了便于池壁砖沿较长的一面膨胀。防止受热膨胀时,转角处变形、扭曲。池壁砖垂直砌筑、转角处接缝严密,是确保池壁砖砌筑质量的关键。

13.1.11 对玻璃窑炉而言,拱顶均用立柱、拉杆紧固。紧固时,要求拱顶脱离拱胎。拱胎拆除后拱顶的下沉量较小,因此不必采用打入多排锁砖的方法。锁砖打入后拱顶以稀耐火泥浆灌缝的方法,在玻璃窑炉施工中运用多年,效果甚好。

13.1.12 根据玻璃窑炉的施工与使用经验,按条文规定的要求砌筑,能保证砌完第二层拱及烘炉后,上、下层拱砖块间仍互相挤紧,两层拱间不致分离。

13.1.13 条文所列部位系单砖拱形砌体,拱跨较拱长大近10倍,甚至更多。在生产过程中因单面受热或两面受热不均,大部分拱形砌体的整个拱环常向受热一面扭弯。故对此类砌体的砌筑提出严格要求。

13.1.14 为保证玻璃窑炉投产后的产品质量,所有玻璃窑炉砌筑完毕交付使用前,都应彻底清扫干净。采用吸尘器吸除杂物是为了防止窑炉内出现二次污染。

13.1.15 为确保窑拱隔热层的施工质量和隔热效果,要求在窑拱隔热层施工前，应进行拱顶的清扫、密封和缺陷的修补工作。池壁、胸墙、小炉的隔热层的施工质量十分重要，直接影响隔热效果和环境保护，故应严格按设计要求施工。

13.1.16 为保证钢结构有良好的通风环境，隔热层不得将钢结构包在其内，避免钢结构因温度过高而变形或损坏。

13.2 蓄热室、烟道和小炉

13.2.1 用两种以上不同材质的砖砌筑烟道墙或蓄热室墙时，使用一段时间后，砖层之间容易脱离，墙体外表面出现鼓包或倾斜的情况。故规定沿高度方向每隔 500mm，内、外层砖应互相咬砌一层。

13.2.2 炉条碹如歪斜，彼此间则无法相互支撑牢固。保证炉条碹和蓄热室墙的缝隙，可避免烘炉后二者相互挤压，炉条碹变形。炉条碹承受上部的重量，为保证结构强度，炉条碹合门砖不得加工。根据近年的施工经验，砌筑前对砌体进行预排、合理调节砖缝，可以避免加工合门砖。

13.2.3 只有上、下格孔垂直，整个砖格子表面水平，才能保证砖格子整齐和格孔通畅，延缓堵塞，延长其使用寿命。水平观察孔与水平格孔对准，可以准确地观察砖格子的烧损堵塞情况，便于适时进行热修。格子砖上用层压板或类似材料覆盖，能防止耐火泥浆等杂物落入格孔，是保证格孔清洁、畅通的有效保护措施。

13.2.4 本条为新增条文。室内烟道或室外烟道与上升烟道砌体的高度、重量有较大差别，该处直缝砌筑可以保证砌体在高温时自由滑动，避免因膨胀量的不同而出现墙体裂缝。

13.2.5 熔铸砖尺寸偏差较大，先砌小炉可以保证小炉炉口位置准确，小炉伸进或退出蓄热室时不会影响生产。

13.2.6 扁钢或型钢的位置和标高直接影响小炉的砌筑质量，小炉砌筑前应进行检查和调整。

13.2.7 玻璃窑炉小炉水平通道斜拱多为变跨度拱，错缝砌筑时，气流阻力小,结构稳定。用硅砖或镁砖砌筑的小炉斜拱应错缝砌筑;用熔铸砖砌筑的斜拱一般为环砌。小炉斜拱与小炉口平拱间留有膨胀缝,以备窑拱膨胀需要。砌筑时此处先用木楔塞垫,防止斜拱拱砖下滑。

13.2.8 本条为新增条文。本条规定是为了保证小炉拱体不出现下沉、变形和局部下陷。

13.3 熔化部、卡脖和冷却部

13.3.1 本条为新增条文。熔化部、卡脖和冷却部等部位是以一号小炉中心线为基准进行工艺设计。施工时以一号小炉中心线为基准进行各段控制线的定位,还可以分段消化安装偏差。

13.3.2 熔化部池壁顶面的标高不应低于冷却部池壁顶面的标高,主要是为了避免对生产造成不利影响。

13.3.3、13.3.4 砌筑较大跨度的窑拱时,保证整个窑拱的拱跨、拱脚砖与窑炉中心线的间距、拱脚砖标高的尺寸准确十分重要。否则会出现喇叭形拱体,影响砌筑质量。一般玻璃窑炉的熔化部和冷却部的窑拱的立柱系可调节构架。为了防止立柱在安装调节拉杆和窑拱砌筑时受力错位,影响拱跨、拱脚砖与窑炉中心线间距尺寸的准确,在窑拱砌筑前应对立柱采取临时固定措施。为了确保窑拱的安全使用,拱脚砖与支承钢件间、支承钢件与立柱间的不平整处均应用钢板垫平,不得使用砖片或耐火泥浆等。

13.3.5 窑拱分节处应留设膨胀缝以备膨胀。玻璃窑炉采用窑拱的支撑拱结构时,应防止窑拱支撑拱的拱脚处推出,造成窑拱变形。故窑拱支撑拱的拱脚至拱顶找平砖这一段不能留设膨胀缝。

13.3.6 熔化部窑拱的支撑拱多采用双层拱结构。为防止拱脚处相互推移或同侧窑拱的支撑拱两端拱脚推出导致窑拱变形,故每侧窑拱的所有支撑拱,其同一层拱的锁砖应同时打入。同侧窑拱的各个支撑拱间,拱砖随每层支撑拱砌筑。每侧窑拱两端的支撑拱拱脚外,应采取临时顶紧措施。

13.3.7 窑拱砌筑时,规定砖缝厚度不应超过 1.5mm。由于拱砖尺寸存在一定的偏差,如不经常用胎面卡板卡量检查,拱砖砖缝与半径会出现不吻合的情况。强调"随时"检查,即最多不超过五列砖,便于施工操作,并可及时调整。保证砖缝既在 1.5mm 以内,又与半径方向相吻合。

13.3.8 玻璃窑炉的熔化部和冷却部的窑拱分节处留设膨胀缝,每节窑拱端部的拱砖若较小,则易松动。特别是熔化部中部的窑拱分节处端部,常出现掉砖现象,故条文加以强调。

13.3.9 窑拱砌筑完毕后,如何紧固以保证拱体不出现下沉、变形和局部下陷是个关键问题。根据玻璃窑炉多年砌筑窑拱的经验,对此作出规定以保证窑拱的质量。施工单位对拱顶拱起的数值、拉杆拧紧程度和停放时间等都有具体规定。但因条件不同,不宜在条文中作统一规定。本条为强制性条文。

13.3.10 挂钩砖的内弧面与托板间留设间隙是为了防止砌体膨胀造成挂钩砖头部断裂。防止挂钩砖与胸墙向窑内倾倒的措施,施工单位做法不一,故不作具体规定。

13.4 通路和成型室

13.4.1 根据生产需要,锡槽纵向、横向的定位应符合设计规定。锡槽的工艺设计是以锡槽第一根立柱中心线为基准,结构安装和耐火材料的砌筑也均应以第一根立柱中心线为基准。

13.4.2 生产时锡槽内盛有锡液,为防止槽底砖飘浮,规定应仔细检查锚固件与底部钢板焊接是否牢固。锡槽槽底砖螺栓与底壳的连接检查工具一般为扭矩扳手,达到设定值不被扭断即为合格。

13.4.3 螺柱焊机焊接固定螺杆的质量优于手工焊。固定螺母过于旋紧会影响底砖的膨胀,满足设计要求即可。

13.4.4 在生产过程中,部分锡液可渗透到槽底,锡液对螺栓具有一定的侵蚀作用。密实的石墨粉可对螺栓形成保护,避免底砖因螺栓的破坏而漂浮。

13.4.5 本条为新增条文。玻璃的拉出是通过出口唇板,锡槽出口唇板标高的控制非常关键,直接影响玻璃质量。

13.4.6 每块顶盖砖的吊挂件一般有四个,如果某一个吊挂件不受力,顶盖砖将受力不均,出现裂缝。强调吊挂件应均匀受力,并要求吊挂件的高度应调整一致,保证顶盖砖的平整。

13.4.7 为防止玻璃液浸入池底造成通路砖漂浮,通路池底砖的斜压缝处不留设膨胀缝。

13.4.8 生产时要求供料通路和锡槽内干净无杂物,否则会影响产品的质量。故规定在砖缝和膨胀缝处粘贴胶布,防止杂物混入。供料通路和炉头锅的接缝控制在 1.5mm 以下,能减少该部位的侵蚀,延长使用寿命,同时也利于提高玻璃的质量。

14 回转窑、石灰竖窑及其附属设备

本章增加了石灰竖窑及其相关的内容,故将原标题"回转窑及其附属设备"修改为"回转窑、石灰竖窑及其附属设备"。

活性石灰在炼钢过程中有造渣快、冶炼时间短、脱硫脱磷效果好的特点,优化了炼钢工艺。随着炼钢生产对石灰活性度的要求越来越高,与传统的竖窑和回转窑相比,环形套筒式石灰竖窑(简称套筒石灰竖窑)和麦尔兹并流蓄热式石灰竖窑(简称双筒石灰竖窑)生产的石灰活性高、品质稳定,可利用回收燃料,适应各种粒度的原料矿石。且能耗较低、操作简单、维修方便、负压操作、使用安全、作业率高,近年来被广泛采用。

14.1 回转窑及其附属设备

14.1.1 本条将纵向缝划分为湿法砌筑、干法砌筑(含钢板砌筑)两种。湿法砌筑时,纵向缝的规定与原规范相同;干法砌筑(含钢板砌筑)时,纵向缝的砖缝厚度依设计规定。

本条对原规范中预热器和分解炉中的有关设备名称进行了必要的合并和调整。

本条增加了对窑门罩、三次风管等的砖缝厚度的规定,经多年施工和生产实践证明是可行的。

Ⅰ 回转窑、单筒冷却机

14.1.2 本条明确强调应在回转窑空运转测试合格后进行其内衬的施工。因为回转窑内衬一旦砌筑和检查完毕,除自身维护的需要和点火烘窑并投入生产外,不得再转窑。

14.1.4 第14.1.4~14.1.6条是保证回转窑和单筒冷却机内衬砌体质量的关键技术。设置纵向基准线是为了防止施工时砌体歪斜。本条增加了"纵向施工控制线宜每隔 1.5m 设置一条"的规定。

14.1.5 本条增加了"环向施工控制线宜每隔 1m 设置一条"的要求;不论湿砌还是干砌,环向施工控制线统一规定为每隔 1m 设置一条。设置环向基准线是为了防止砌筑时砖环扭曲。

14.1.6 本条为新增条文。如果不严格按基准线和实际施工控制线砌筑,则无法保证耐火砖砌体的质量。

14.1.7 转动支撑法是使用丝杠等工具支撑砌体砌筑。砌筑过程中需要转动窑体、分段砌筑。拱架法是使用砌砖机进行窑衬上半部分的砌筑。这种方法砌筑速度快,无需分段砌筑,不用转窑。

14.1.8 回转窑的每环砖使用两种不同尺寸的主砖相互配砌是国际通行的做法,我国目前已与国际的标准砖型接轨。另外,每环还配以两种插缝砖各 1 块～2 块用于锁口区的合缝调节。两种主砖通常采用等大端尺寸(103mm)的 A 型(ISO 型)砖或等中间尺寸(71.5mm)的 B 型(VDZ 型)砖。当采用干法砌筑时,配砖比例常常会偏离设计值,此时可以使用少量耐火泥浆进行调整。

　　环砌法是砌筑回转窑内耐火砖的主要方法。其特点是每个砖环都是独立且稳固的,便于拆除和维修,特别适用于需要经常换砖部位的窑衬砌筑。

　　交错砌筑法的特点是相邻耐火砖之间相互齿合。在窑体变形严重或耐火砖强度较低等情况下,可以避免出现频繁掉砖的现象。但是不便于砌筑和检修,故很少使用。

14.1.9 碱性砖主要采用干法砌筑。有些碱性砖要求用钢板砌筑。此时,钢板是接缝材料。当需要使用少量耐火泥浆进行砖缝调整时,该砖缝内就不应使用钢板。碱性砖的一端往往粘贴一块作为膨胀缝用的纸板,砌筑时不能将其去掉。

14.1.10、14.1.11 这两条简要叙述了拱架法和转动支撑法的砌筑技术要点。丝杠等支撑工具和耐火砖之间应垫方木,方木与耐火砖之间应垫木楔子。丝杠应顶紧顶牢。砌砖机应摆放平直,安装牢固。使用拱架法砌筑时,锁口钢板应从侧面打入。

14.1.12 本条将交错砌筑时,纵向缝的允许扭曲偏差由原规范的"在同一砌筑段的全长内,不应超过20mm"修改为"每5m不应超过10mm"。同时增加"环砌时,环缝的扭曲偏差每米不应超过3mm,全环不应超过10mm"。

14.1.13 当砌筑至锁口区只剩数块砖时,需提前进行预排,使锁口的尺寸刚好与最后一块锁砖的尺寸一致。锁口区是每环砖的最薄弱之处,容易损坏。插缝砖均匀地分布于主砖之间可以避免应力集中。两种主砖和两种插缝砖相互搭配,一般可将锁口的尺寸调整到位。应尽量避免加工耐火砖的楔形面。

14.1.14 每一环的最后一块锁砖均宜从侧面打入拱内。当遇到挡砖圈或检修砌筑等情况时,最后一块锁砖可从上面打入。

14.1.15 锁紧用的钢板应平整、无毛刺,一头应磨尖。其宽度应比耐火砖的宽度小约10mm。钢板应打入到位,不应出现卷曲、探空和超出砖边的现象。任何情况下,每个砖缝中只允许使用一块钢板锁片。每环中使用的钢板锁片一般以不超过3块最为合适,但是考虑到实际情况,本条仍保留原规范条文"每环锁口区不应超过4块锁片"。体形较薄的插缝砖和经过加工的锁砖本身比较脆弱,故不宜在其旁边打入钢板锁片。

14.1.16 每块耐火砖大头的4个角都应紧贴筒体(或永久层),不得下垂脱空。如果耐火砖与筒体(或永久层)之间存在间隙,说明耐火砖没有砌紧。本条取消了原条文中砖与筒体之间的间隙"应小于3mm"的规定。

14.1.17 本条为新增条文。全窑内衬砌筑和检查紧固完毕后,除自身维护的需要、点火烘窑外,不应再转窑。应尽快点火烘窑、投入使用,不宜长时间搁置。其原因有:

(1)窑体在耐火砖的长期静态负荷下会产生疲劳变形;

(2)碱性砖会吸收空气中的水分而受潮变质；

(3)砖衬本身也会产生一定程度的压缩下沉。

因此，回转窑窑衬砌筑完成的时间离点火的时间越短越好。如果不能尽快投入使用，应采取定期慢速转窑的措施加以维护。

Ⅱ　预热器系统、箅式冷却机及其他设备

14.1.18　本条所述的这些部件通常衬里薄、形状复杂，设备安装到位后，往往无法再进行内衬的施工或施工质量无法保证。因此，在施工这些部件的内衬之前，宜进行预安装。预安装合格后，再将其拆卸并运输至地面或平台上进行内衬的施工。

14.1.19　在预热器、分解炉、窑尾烟室、上升风管等部位，有大量检测、监控用的工艺孔洞。这些孔洞是生产所必需的。但是它们给内衬的整体性和密封性带来一定程度的影响，增加了施工难度。因此，孔洞处应按设计规定精心施工，不得任意改变孔洞的形状或堵塞孔洞。

14.1.20　应按设计规定留设膨胀缝，不得遗漏。膨胀缝内的耐火陶瓷纤维应填塞密实。

14.1.21　锥体、斜坡、下料管等的内衬表面应平整，保证生产运行中下料畅通，避免滞料。

14.1.23　在预热器系统不宜砌砖的部位一般使用耐火浇注料。这些部位形状复杂、尺寸变化多，施工难度也相应较大。箅式冷却机的两侧矮墙、喉部、三次风管的拐弯处和闸板室等部位的内衬极易磨损。故这些部位的耐火浇注料施工时，应按材料的施工要求精心操作。若单次施工面积较大，不易保证耐火浇注料的质量。

14.2　石 灰 竖 窑

Ⅰ　套筒石灰竖窑

14.2.1　表14.2.1的各项允许偏差是根据各地多座套筒石灰竖窑的筑炉工程施工经验编写。施工实践证明，表中允许偏差是适宜可行的,能够满足生产要求。

14.2.2 为了保证内、外筒墙体起始砌筑面的水平和消化吸收结构安装的标高偏差,底部应用耐火浇注料找平。

14.2.3 内、外筒钢结构的安装可能存在偏差,为保证内筒和外筒之间的物料空间尺寸,增加砌体的稳定性和气密性,要求根据砌体工作层与隔热层、砌体与钢结构壳体之间的间隙大小处理间隙。

14.2.4 因耐火材料和钢结构的膨胀系数不一致,要求内筒挂砖与钢结构之间留有间隙,且间隙应均匀一致。为增强砌体的稳定性和隔热性,间隙内应用耐火陶瓷纤维毯填塞密实。

14.2.5 本条规定能保证内筒的耐火材料内衬与内筒钢结构同心,确保内筒和外筒之间的间距和过桥拱跨度的一致。

14.2.6 本条是保证过桥拱拱脚砖标高一致、各过桥拱跨度一致的有效措施。

14.2.7 为避免施工现场出现二次加工,保证上、下过桥拱和燃烧室烧嘴砖的砌筑质量,加快施工进度,要求上、下过桥拱和燃烧室烧嘴砖应预先进行加工、组装。

14.2.8 为满足工艺要求,保证煅烧温度,要求过桥拱拱脚砖下表面的砌筑标高应以各燃烧室的水平中心线的平均标高为基准确定。过桥拱应先预排后砌筑,是保证砌筑质量,避免施工现场出现二次加工的有效措施。

14.2.10 采取该措施能有效地控制燃烧室耐火内衬的椭圆度偏差,提高工程质量。

Ⅱ 双筒石灰竖窑

14.2.11 表 14.2.11 的各项允许偏差是根据各地多座双筒石灰竖窑的筑炉工程施工经验编写的。施工实践证明,表中允许偏差是适宜可行的,能够满足生产要求。

14.2.12 双筒石灰竖窑的双筒(燃烧筒和非燃烧筒)相互切换运行,生产工艺要求两个筒的构造和几何尺寸一致,故作本条规定。

由于托砖板在安装及焊接时可能变形,标高可能存在偏差,故允许在托砖板上表面用耐火浇注料找平,保证两个筒体的第一层砖以同一标高为基准施工。

14.2.13、14.2.14 施工实践证明,按这两条规定施工可以提高施工质量,减少砖加工,加快工程进度。

14.2.15 本条规定是为了防止拱脚砖位移,避免支撑拱塌落,确保施工安全。

15 隧道窑和辊道窑

隧道窑包括窑车式隧道窑和辊底式隧道窑,两者虽然同属于隧道窑,但砌筑要求有较大的不同,特别是辊道窑的相关规定条款较少。本次修订将原第15.1节分为隧道窑、辊道窑两节编写,增加部分辊道窑砌筑的内容。原第15.2节"倒焰窑"属于淘汰窑型,为国家禁建项目,替代窑型为梭式窑。梭式窑的砌筑施工无特殊要求,其施工可参照本规范的基本规定和隧道窑的有关规定执行,故删除倒焰窑的内容。

15.1 隧 道 窑

15.1.1 隧道窑各部位因所处的位置不同,砌筑要求也有所不同。高温部位及工作条件恶劣部位的砌体砖缝的厚度要求相对严格,以保证窑体气密性,提高强度和使用寿命。

15.1.2 生产时,隧道窑内的窑车是沿轨道运动的。因此,窑体砌筑的测量定位应以窑车轨道为准,防止窑体与窑车因相对尺寸偏差较大而影响生产。

15.1.3 陶瓷窑一般断面较小,而耐火窑断面较大,且还原气氛陶瓷窑的结构与耐火窑不同。因此,根据结构、部位及砌筑要求,对陶瓷窑与耐火窑分别制订允许偏差标准。为保证砌筑质量,本次修订在表15.1.3的项次1中增加了(7)、(8)、(9)三项,规定陶瓷窑各气幕定位尺寸的允许偏差。在项次3中增加"(4)排烟口标高"的允许偏差,确保排烟通畅。

15.1.4 吊挂砖和空心砖因砖型复杂、外形尺寸较大,故需进行预砌筑和选分,以确保工程质量和施工的顺利进行。

15.1.5 为了确保施工质量、减少返工,应按施工顺序进行阶段验收。只有在前一阶段砌体验收合格后，才能进行下一阶段的砌筑。

15.1.6 本次修订删除"由外向内逐次错台砌筑"，是为了确保内墙的平整及炉膛尺寸。先砌内外两层、后砌中间各层，不能保证整体砌体的紧密性和耐火泥浆的饱满度，故作本条规定。

15.1.7 砂封槽、曲封砖等处的膨胀缝错开留设是为了防止气体上下窜通，导致曲封砖下部温度降低。窑墙内、外层的膨胀缝错开留设是为了防止气体内外窜通。

15.1.11 本条规定了拱胎、吊挂砖托板拆除的条件，确保拱体不会下沉或坍塌。

15.1.12 因窑墙顶部两侧气道是冷空气由冷却带经加热后送至烧嘴区的通道，故要求砌体严密。

15.1.13 本条为新增条文。隧道窑生产过程中，在高温区易出现倒窑事故。一般在冷却带急冷区域设置事故处理孔，以便及时将倒塌的窑具、制品等清理出窑外。故本次修订增加本条以保证清理方便、快速、干净，避免窑车台面损坏和窑车卡死导致电机烧坏而影响生产。

15.1.14 本条为新增条文。为了保证通道面积，减小通道阻力，保护通风设备，应清除砌体通道内的杂物。

15.2 辊 道 窑

15.2.1 辊道窑窑体较薄，工作条件相对恶劣。为保证气密性，提高强度和使用寿命，应严格控制砌体的砖缝厚度，保证砌筑质量。

15.2.2 辊道窑辊孔砖的砖孔中心线均应在同一标高平面上，以保证安装后的辊棒处于同一水平面，制品运行平稳。故应以辊棒的中心线标高作为辊道标高的基准。

15.2.3 本条是在总结实践经验的基础上制订的。窑体砌筑质量对制品在辊道上能否顺利运行有很大影响。辊道窑投产时，要求升温后窑体和辊道相互配合，保证辊棒运行平稳且制品不跑偏。因此，应重点控制与辊棒安装和运行相关的砌体质量。

15.2.4 辊道窑窑体砌筑时,砌体应合理地留设膨胀缝。辊道窑辊孔砖的砌筑尤为重要,升温后窑体膨胀易造成辊棒安装困难,甚至卡辊。故相邻辊孔砖之间均应留设膨胀缝,以保证辊道的安装质量。

15.2.5 为保证辊棒能够自由转动,在砌筑辊孔砖之前,应先检查辊下两侧墙砌体顶面的标高及两者的标高差,合格后才可拉线砌筑。

15.2.6 辊孔砖的质量直接影响辊道的运行,故应对辊孔砖进行检选。尺寸偏差过大或有缺陷的辊孔砖易造成卡辊或断辊,导致运行不畅,故不得使用。磨削加工的辊孔砖内易产生应力,升温后应力发展会导致辊孔砖变形或开裂,影响辊棒的运行,甚至卡断辊棒,故辊孔砖不得加工。

15.2.7 事故处理孔的过桥砖一般为异形砖,是承重砖。如有裂纹,受力后易断裂,影响塞砖的塞入,降低窑体的气密性。

15.2.8 上挡板是可上、下移动的可调式挡墙,其位置直接影响窑内温度的调节。上挡板与插入孔间的密封是为了保证辊道窑的气密性,避免冷风入窑、降低窑温、增大能耗。

16 转化炉和裂解炉

鉴于一段转化炉的辐射室和对流室的内衬与裂解炉的辐射室和对流室的内衬在结构、所用材料、材料性能指标及质量要求上有许多共同点,本次修订不再按炉型分节,而是按部位分节。

二段转化炉作为合成氨装置中一个特殊的炉型,单独划分为一节。

16.1 一 般 规 定

16.1.1 随着耐火陶瓷纤维内衬在炉衬中的广泛使用,炉顶吊挂砖结构已淘汰。本章删除有关炉顶吊挂砖结构的内容,即原规范表 16.1.1 中"1(2)辐射段炉顶、(4)辅助锅炉炉顶、3(2)辐射段炉顶"的内容。

原规范表 16.1.1 中 3 个项次分别按炉型分类,项次 1 没有对一段转化炉燃烧器砌体的砖缝厚度作要求,本次修订增加"1(3)燃烧器"的内容。

16.1.2 原规范表 16.1.2 中"1(3)烟道墙及挡火墙"的垂直偏差没有明确是每米高还是全高。考虑到烟道墙和挡火墙的高度一般为 2m 左右,3mm 的允许偏差和本规范第 3.2.4 条中炉墙每米高的垂直允许偏差是一致的,故本次修订明确为"每米高"。

由于炉顶吊挂砖结构已经淘汰,故删除原规范表 16.1.2 中"2(3)炉顶吊挂砖"。膨胀缝的尺寸是砌体检查的重要项目,故增加"4 膨胀缝的尺寸偏差"。

16.1.3 本条用"炉衬"取代原条文中"耐火浇注料、耐火可塑料、耐火陶瓷纤维内衬"。与炉衬接触的钢结构及设备的金属表面进行除锈处理,是为了保证后道工序质量。喷砂除锈和手工除锈的质量标准分别为 Sa2 或 St2 级。

16.1.4 本章用"锚固件"代替原规范"锚固钉"一词。实际施工中,穿过隔热板的不仅仅是锚固钉,还有拉砖钩的固定板等,"锚固件"涵盖范围更广。

相对于切割法,"采用电钻"能提高效率,更能保证孔槽的几何尺寸,减少对隔热板的破坏。

16.1.5 "湿砌"是为了保证耐火砖砌体的严密性和整体性。隔热耐火砖紧贴隔热板是为了保证砖面的垂直度,避免耐火砖砌体向炉内倾斜造成重心的偏移。

16.1.6 本条由原规范第 16.1.6 条和第 16.4.6 条合并而成。

燃烧器砌体多为组合砖结构,本次修订增加"预砌筑"的内容。燃烧器耐火砖砌体的中心线与金属燃烧器的中心线如不重合,会造成火焰偏向,冲刷烧蚀炉衬。"炉底燃烧器耐火砖砌体外侧与炉底耐火浇注料、耐火砖之间应填充耐火陶瓷纤维毯"是为耐火砖砌体、炉底耐火浇注料、炉底耐火砖的膨胀而设置的膨胀缝。

16.1.7 隔热板、隔热耐火砖、耐火陶瓷纤维制品吸收水分后,隔热效果会受影响;水对耐火陶瓷纤维毯、耐火陶瓷纤维模块的质量影响尤其严重。

16.1.8 隔热耐火浇注料拆模后应进行检查,对于裂缝等缺陷按本条所述的方法处理。

16.1.9 筑炉施工前应对炉管采取保护措施。避免炉衬施工过程中隔热耐火浇注料、耐火泥浆、高温粘结剂等附着在炉管上沾污,影响炉管受热。

16.2 一段转化炉和裂解炉

Ⅰ 辐 射 室

16.2.1 本条为新增条文。内衬的施工宜按该顺序进行。

16.2.2 本条由原规范第 16.2.2 条和第 16.4.2 条合并而成。隔热板之间、隔热板与炉壳之间原则上应互相紧靠。但施工中受隔热板外形尺寸偏差和炉壳平整度等因素的影响,隔热板之间、隔热板与炉壳之间可能存在间隙。故本条规定超过 3mm 的间隙,应用耐火陶瓷纤维毯填充。

16.2.3　本条由原规范第 16.4.3 条修改而来。新增"耐火陶瓷纤维毯的铺贴应符合本规范第 5.2 节的规定"。

16.2.4　本条由原规范第 16.2.3 条修改而来。

(1)拉砖钩是炉墙砌体和炉墙钢板的关键连接。为了避免生产过程中,砌体膨胀导致拉砖钩脱离锚钉孔,规定拉砖钩的插入深度不应小于 25mm。而且应保证拉砖钩平直地嵌入砖内,不允许有一头翘起的现象。

(2)拉砖钩遇到砖缝或膨胀缝时,按本规范第 3.2.41 条的规定处理。

16.2.5　本条为新增条文。同时采用拉砖钩和拉砖杆是拉固炉墙耐火砖砌体的另一种结构形式。此种拉固结构对炉壳的平整要求很严格,否则会出现拉砖钩长度不够或虚拉现象,工序交接检查时应当引起重视。

16.2.6　本条为新增条文。与托砖板上表面接触的耐火砖如果用耐火泥浆粘接,高温下将会影响两者之间的相对滑动。

金属托砖板与耐火砖的热膨胀系数不一样,在托砖板朝向炉内一端设置膨胀缝是为了避免金属托砖板膨胀时顶坏耐火砖砌体。该层耐火砖砌筑时,应检查膨胀间隙是否满足设计规定,小于设计值时应加工耐火砖。

16.2.7　本条由原规范第 16.4.5 条修改而来。将"隔热耐火砖炉墙"修改为"耐火砖炉墙"。

16.2.8　本条为原规范第 16.4.9 条。

16.2.9　本条文由原规范第 16.4.12 条后半部修改而来。真空成型窥视孔预制块需要用锚固件固定,锚固件一般随炉墙锚固件一起焊接。真空成型窥视孔预制块应预组装,检查其中心位置尺寸和锚固件的位置是否正确。

16.2.10 真空成型窥视孔采用耐火砖砌筑后切割而成时,截面为三角形的条形耐火砖容易脱落。通过预砌筑及时调整耐火砖的排列顺序,可避免出现三角形的条形砖。

16.2.11 本条由原规范第 16.4.10 条修改而来,原规范第 16.4.10 条仅提到隔热耐火浇注料结构。贯穿柱的结构有隔热耐火浇注料结构、耐火砖结构、耐火陶瓷纤维模块结构。

16.2.12 本条由原规范第 16.4.14 条修改而来。

(1)为保证耐火陶瓷纤维模块的顺利安装、模块间不出现缝隙,增加"相邻两个耐火陶瓷纤维模块的锚固件中心间距的允许偏差应为±5mm"。

(2)陶瓷杯结构的扁形锚固件侧面朝向一致,有利于陶瓷杯的安装和质量检查。

16.2.13 本条由原规范第 16.4.15 条修改而来。为保证炉管间内衬密封严密,要求施工时应采用专用工具取芯下料。耐火陶瓷纤维毯上的孔径应比炉管直径小 5mm~10mm。

本条后半部新增"耐火陶瓷纤维模块结构"。炉顶炉管间的内衬采用耐火陶瓷纤维模块结构时,同样由于密封的原因,要求模块上的孔径应比炉管直径小 5mm。

16.2.14 本条文由原规范第 16.4.18 条修改而来。为了保证陶瓷杯将耐火陶瓷纤维毯固定牢固,规定孔口的加工尺寸。"陶瓷杯的拧进深度相等"是为了保证耐火陶瓷纤维毯厚度方向压缩一致。本规范第 16.2.12 条已经要求"用于陶瓷杯结构的扁形锚固件,其侧面应朝向一致",陶瓷杯的安装只要保证"陶瓷杯边缘的沟槽朝向应一致",耐火陶瓷纤维毯就能固定牢固而不脱落。

16.2.15 本条为新增条文。内衬之间出现的透气缝属于质量缺陷,会导致该部位的热量散失,炉壳形成热点。

16.2.16 本条为新增条文。耐火陶瓷纤维模块的固定螺母紧固不到位或遗漏都将导致模块脱落。一旦拆除绑扎带和套管,就难以检查螺母的安装质量。

16.2.17 本条由原规范第 16.2.8 条修改而来。一段转化炉辐射室的烟道孔洞较多,砌筑过程中应保证孔洞尺寸和位置的准确。

烟道盖板间留设不超过 3mm 的膨胀间隙,便于高温下盖板的膨胀。

16.2.18 本条由原规范第 16.2.9 条和第 16.2.10 条合并而成。"一段转化炉炉底砖的上表面与下集气管隔热层之间的距离不应小于设计尺寸",其目的是为了给炉管预留一定的膨胀余量。炉底施工时应注意控制厚度。

16.2.19 本条为新增条文。对炉底由多层隔热耐火浇注料浇注而成的结构提出一般要求,目前这种结构常用于炉底、过渡段底。多层浇注料的膨胀缝应错缝,避免通缝。

16.2.20 本条为原规范第 16.2.11 条。

Ⅱ 对 流 室

本节删除了原规范第 16.2.12 条有关隔热耐火浇注料搅拌、第 16.2.15 条有关隔热耐火浇注料养护的内容。隔热耐火浇注料的搅拌和养护在辐射室、二段转化炉、输气总管、烟囱、烟道、烟气收集器、弯头箱内衬施工工序中都存在,仅出现在本节中不合适;本规范第 4 章中已有关于搅拌和养护的内容。

16.2.21 本条由原规范第 16.2.13 条修改而来。对流室墙板的隔热耐火浇注料宜现场支模浇注,可减少长距离运输对内衬的损坏。在现场地面预制,可以减少高空施工、降低安全风险、加快施工进度、有利于保证质量。

为了保证墙板预制时不产生挠曲和变形,浇注时应将墙板垫平。对刚度小的墙板,还应采取加固措施,避免吊装、运输时内衬因墙板变形而损坏。

16.2.22 本条由原规范第 16.2.16 条修改而来,将"膨胀线"改为"膨胀缝"。"设置膨胀缝"是浇注料施工中的基本要求和一贯做法。

16.2.23 本条由原规范第 16.2.14 条修改而来。"浇注料分块施工及在块与块之间设置膨胀缝"有利于高温下内衬的膨胀。

16.2.25 本条为新增条文。对流室采用模块化施工时,模块之间的缝隙需要在现场进行处理。

16.2.27 本条为新增条文。对流室模块预制时,可采用分片卧置施工和组对成框后立置施工两种方式。

(1)在立置状态下施工时,应采取措施防止托底模板变形。否则内衬底表面不平整,影响设备模块间的密封处理。

(2)内衬厚度方向若不能一次成型,尤其是在初凝后的内衬表面再施工,会导致衬体在设备运行期间出现剥落。

16.2.28 本条由原规范第16.4.4条修改而来。这种结构仅用于对流室炉墙的穿砖结构中。

Ⅲ 输 气 总 管

16.2.29 本条为新增条文。工厂化施工条件优于现场,更能保证内衬质量。如现场条件具备,也可现场施工。

16.2.30 本条由原规范第16.2.17条修改而来。输气总管管内被支承环分隔成若干锥体区域,浇注只能从浇注孔进行,锐角区容易出现气孔,施工难度大。试浇注是为了掌握隔热耐火浇注料的施工性能、检验制订的施工方案是否可行。

16.2.31 本条为原规范第16.2.18条。输气总管应安放在临时的支架上并使之处于水平状态,降低隔热耐火浇注料在锐角处出现大于50mm气孔的可能性。

16.2.32 本条为原规范第16.2.19条。为了检验输气总管锐角处的浇注质量,应用射线检查。

Ⅳ 烟囱、烟道、烟气收集器(集烟罩)、弯头箱

16.2.34 本条由原规范第16.4.11条修改而来。现场预制能避免长距离运输过程中内衬的损坏。烟囱、烟道和烟气收集器(或集烟罩)本身抗变形能力差,施工前应加固。

16.2.35 本条为新增条文。烟气收集器(或集烟罩)内衬与对流室内衬之间填充耐火陶瓷纤维毯能起到密封和吸收膨胀的作用。

16.2.36 本条由原规范第 16.4.17 条修改而来。弯头箱框与对流室炉管之间距离较近,不利于此处焊口的焊接,管道施工时也容易损坏弯头箱框内的内衬。故弯头箱框的内衬应在对流室炉管焊接并经检验合格后施工。

16.3 二段转化炉

16.3.2 本条为原规范第 16.3.2 条。二段转化炉隔热耐火浇注料由于采用连续浇注,浇注间断时间不宜超过 30min。在所有的工序当中,"炉内钢模板的组对和支设时间"是能否保证连续浇注的主要因素。为此,钢模板应在炉外提前预组装和编号,并在炉内进行组装练习。

下锥体钢模板的支承处应焊接牢固,否则钢模板在浇注过程中出现位移,影响施工质量。

16.3.3 本条由原规范第 16.3.3 条修改而来,删除"纯铝酸钙水泥"。"浇注应连续进行,每次间断时间不宜超过 30min"是为了保证浇注料的整体性。虽然目前很多厂家外加缓凝剂延长浇注料的初凝时间,但对缓凝剂的掺量和初凝的延长时间无法作出统一规定,故仍维持原规范中"30min"的要求。

16.3.4 本条由原规范第 16.3.5 条修改而来。隔热耐火浇注料浇注时,应沿筒体周边均匀下料。在同一个地方长时间下料,会造成隔热耐火浇注料堆积。一方面影响浇注质量,另一方面会导致模板受力不均、出现偏移。浇注料自由下料高度超过 1.3m 时,会影响料体内部组分的均匀性。

16.3.5 本条由原规范第 16.3.6 条修改而来。封闭上、下孔洞是为了减少空气对流,避免水分蒸发过快。

16.3.6 本条由原规范第 16.3.7 条修改而来。原条文是"第一次烘炉",解释为"干燥性烘炉",本次修订将"烘炉"改为"烘干"。之所以把烘干放到砌筑之前进行,是因为烘干过程出现的水蒸气和凝结水会影响砌体的整体强度。烘干后浇注料若有缺陷,须经处理合格后才能砌筑。

16.3.7 本条为原规范第 16.3.8 条。该部位比较复杂且重要,故要求球形拱顶砖应逐层预砌筑。预砌筑时,应特别注意第三层砖的位置是否正确,这关系到整个球形拱顶的砌筑质量。

16.3.8 本条为原规范的第 16.3.9 条。球形拱的拱脚表面、筒体中心线的夹角、拱脚砖的标高对保证球形拱顶的尺寸准确起着关键性的作用。

16.3.9、16.3.10 本条由原规范第 16.3.10 条修改而来。触媒保护层由带孔六角形耐火砖排列而成。为了使工艺气体合理均匀分布,炉中央为无孔砖,其余为带孔砖,耐火砖的位置应符合设计规定。带孔六角形耐火砖最外圈与隔热耐火浇注料之间应留设膨胀缝。

17 工 业 锅 炉

17.0.1 本条规定了本章的适用范围。

17.0.2 表 17.0.2 仍沿用原规范规定的数值,本次修订增加了硅藻土砖砌体砖缝厚度的要求。

17.0.3 表 17.0.3 仍沿用原规范规定的数值,根据部位不同作出相应规定。正偏差允许略大些,而负偏差控制得较严,有些部位不允许有负偏差。

17.0.4 本条中"锅炉的砌筑,应在水压试验合格和检查验收后进行",适用于各种工业锅炉。对砖砌炉墙的锅炉是指在"整体水压试验合格后",而对轻型炉墙的锅炉则指"炉墙分片试压合格后"。上道工序经检查验收合格后,才能进行下道工序的施工。

17.0.5 因锅炉炉墙较高,内衬耐火砖墙又较薄,故施工中应设置拉固砖。拉固砖的高度由设计规定。由于耐火砖和普通黏土砖的厚度不同,需待内、外层砖墙砌至高度基本相等时再设置拉固砖。

17.0.6 本条为新增条文。为了保证炉墙整体的强度和气密性,本条对加工后砖的长度作出相应规定。为了保证加工砖表面平整,应使用专用工具,不得用手锤直接加工。

17.0.7 锅炉的普通黏土砖外墙应留设烘炉排气孔,防止烘炉时炉墙产生裂缝。排气孔的数量及位置由设计规定。本条对留设方法未作具体规定,施工时可埋设直径 20mm 左右的金属短管或留出一块丁砖不砌,宜按各自的条件自行确定。

17.0.13 施工中膨胀缝内经常掉入杂物,影响墙体本身的膨胀,故强调"缝内应清洁"。

17.0.14 与折焰墙有关的管子的安装质量应符合设计规定,避免大量的砖加工,降低内衬质量。

折焰墙一般插入侧墙,端头留有膨胀缝。为留有足够的膨胀空间,规定膨胀缝不得有负偏差。带有固定螺栓孔的异形砖砌筑时,固定螺栓应按实际位置焊接。因此,规定先将异形砖逐层干排预砌筑,然后按实际情况在管子上标明螺栓孔的位置,再进行焊接。

17.0.15 耐火浇注料和钢筋及其他金属埋设件的膨胀系数不同,为减少两者因膨胀系数不同而产生内应力,在钢筋及其他金属埋设件表面涂沥青层或包裹石油沥青油纸。

17.0.17 敷管炉墙壁厚较薄,耐火浇注料中埋有龟甲网。如果炉墙排管安装后再施工耐火浇注料和隔热浇注料,则模板支设困难,无法采用机械振捣,质量得不到保证。因此,本条对施工顺序作出规定,强调先施工耐火浇注料和隔热浇注料,后整体吊装。

17.0.18 本条为新增条文。内容是敷管炉墙施工中具体的操作方法和规定。

17.0.20 炉顶与炉墙的接缝处结构较复杂,既要满足烘炉时的膨胀要求,又要保证该部位的严密性,施工中应给予重视。

18 冬 期 施 工

18.0.1 本条是参照现行行业标准《建筑工程冬期施工规程》JGJ/T 104制订的,其目的是界定冬期施工的开始时间和结束时间。

18.0.3 冬期砌筑工业炉时,如果没有相应的采暖措施,内衬(耐火泥浆、耐火浇注料、耐火可塑料、耐火喷涂料等)会受外界气温的影响而冻结。内部水分体积的膨胀会损坏内衬结构,并降低其强度。特别是反复冻融,危害更大。

当气温低于0℃时,如不采取搭设暖棚等防寒措施,不定形耐火材料无法正常施工、养护。耐火泥浆随砌随冻,无法保证砖缝厚度。

18.0.5 工作地点和砌体周围的温度若低于5℃,当外界气温稍有下降,就有可能降至0℃以下而使砌体遭受冻害。因此,条文规定冬期砌筑工业炉时,工作地点和砌体周围的温度均不应低于5℃,确保环境温度不因外界气温变化而降至0℃以下。5℃是个安全的下限值。

工业炉砌筑完毕而又不能立即烘炉投产时,应采取必要的烘干措施。待炉衬内的水分排除干净,才可不继续维持5℃的环境温度。

18.0.6 冬期砌筑工业炉时,不仅要维持不低于5℃的环境温度,而且所用耐火砖和预制块也应预热。使用0℃以下的耐火砖和预制块砌筑的砌体会产生冻结。

18.0.7 条文根据所用不定形耐火材料的特点,规定了施工(含搅拌、浇注和养护)的最低温度要求。其中黏土、水玻璃和磷酸盐耐火浇注料的冬期施工温度不宜低于10℃。这是由于其常温强度较低,而且温度愈低,强度增长愈慢。故规定较高的环境温度,以利于其强度的增长。

18.0.9 为了保证耐火浇注料在冬期浇注、养护时具有必要的温度,除环境温度应保持 5℃ 以上,本条还规定了水的加热温度,其数值系参照有关资料和施工实践经验制订的。

18.0.10 促凝剂大多属于低熔点物质。加入后,往往会降低耐火浇注料的高温性能。条文中"不得另加"系指冬期施工中,在耐火浇注料规定的配合比内不得另外加入促凝剂。

18.0.11 本条根据硅酸盐水泥和铝酸盐水泥的特点,规定其耐火浇注料的养护方法和加热的温度上限。该温度是根据有关规范及施工实践经验制订的。

18.0.12 黏土、水玻璃和磷酸盐耐火浇注料都应在干燥的状态下养护。冬期施工时,为加速其强度的增长,需要加热,但只能采取干热法。其中,水玻璃耐火浇注料养护时的加热温度不应超过 60℃。否则水玻璃耐火浇注料的表面过快固结,内部水分无法及时排出,将导致料体鼓胀。

18.0.13 喷涂施工时,由于搅拌机距喷涂地点较远,因此在冬期除工作地点和内衬周围应采取保温措施外,喷涂料管和水管也应予以保温。保证从搅拌到喷涂的整个过程中,料体的温度不会过多降低。此外,被喷的炉(或管)壳也应采取保温措施,防止料体冻结。

18.0.14 冬期施工时,外界气温对筑炉工程的质量影响很大,应予以重视。逐日、定时地做好温度方面的原始记录,其作用与施工时的自检记录相同,是加强施工管理的一部分,也是工程验收的一项重要内容。当出现问题时,还能以此为依据分析原因。

19 验 收 资 料

19.0.2 本条系综合施工中筑炉工程交工验收资料的实际内容而制订的,对工业炉砌筑工程全面质量管理是行之有效的。考虑业主方等的要求,本条增加第 11 款。

20 烘 炉

20.0.1 工业炉施工完毕后,如不能及时烘炉,则需采取防雨、防潮、防火、防寒(冻)及防污染等保护措施。但即使保护措施完善,若长期搁置而不烘炉,仍可对后续烘炉、顺利投产和使用寿命产生不利影响。本条强调工业炉施工验收合格后,应及时组织烘炉。

20.0.2 工业炉在烘炉后通常立即投入使用。因此,与生产流程有关的机械和设备(含热工仪器)的联合试运转、结构调整等项目均应在烘炉前完成,并达到设计要求。否则烘炉制度无法正常执行,可能出现烘炉时间延长、被迫降温停炉的故障。甚至由于设备存在冷却装置漏水、联动装置失灵等缺陷,导致内衬结构破坏,使用寿命缩短。

20.0.3 不定形耐火材料需经充分养护后才能获得强度。随着强度的提高,内衬抗热应力破坏能力增强,保证烘炉时内衬的整体结构强度。

20.0.4 工业炉投产前必须按照烘炉制度烘炉,其主要目的是排出耐火材料内衬的水分、提高强度,满足生产工艺的要求。根据气体热力学基本原理,并结合工业炉的结构特点,强调先烘烟囱和烟道。否则因烟囱和烟道抽力不够,形成负压,炉内水分无法排出。炉内压力增大,严重时可导致炉体破坏。本条为强制性条文。

20.0.5 高炉系统通常先烘热风炉,待热风炉正常运行后,热风管道与高炉内衬同时利用热风炉产生的热风进行烘炉。当采用这种烘炉方式时,应注意热风管道的烘炉制度。很多热风管道在使用过程中出现内衬异常的现象,甚至发生坍塌事故,都与烘炉制度不合理有关。

20.0.8 与采用烧成制品作为炉衬的结构相比,采用不定形耐火材料的炉衬烘炉时,升温速度更慢,保温时间和总烘炉时间更长。因此,当内衬结构中同时存在这些材料时,所制订的烘炉制度应优先满足不定形耐火材料的要求。

20.0.10 按烘炉制度烘炉是确保工业炉顺利投产、获得正常使用寿命的前提。测定和绘制实际的烘炉曲线、做好与烘炉有关的详细记录,是将制订的烘炉制度准确付诸实施的重要保证。对烘炉中所发生的不正常现象、采取的相应措施,都应做好真实记录,以便日后查询,作为改进的依据。

20.0.11 在工业炉烘炉期间,及时跟踪监测与炉体结构相关的护炉铁件和内衬耐火材料的膨胀,观测拱顶的变化,可以及时发现异常,采取对应措施。

20.0.14 全耐火陶瓷纤维内衬的工业炉,因其内衬中一般不含水分,而且结构稳定、抗热震性能好,故不需要烘炉,可直接投入使用。

21 施工安全和环境保护

21.1 施 工 安 全

21.1.1 在工业炉砌筑工程施工过程中,应遵循的现行标准主要有:《施工现场临时用电安全技术规范》JGJ 46、《建筑施工安全检查标准》JGJ 59、《建筑施工高处作业安全技术规范》JGJ 80、《建筑施工扣件式钢管脚手架安全技术规范》JGJ 130 等。

21.1.2 砌筑前,应针对施工特点、施工季节、施工机具及操作方法,编制各项安全技术措施方案和操作规程。坚持开工前进行安全技术交底,坚持班前安全交底。加强对现场人员的安全教育,未经安全教育不得上岗。施工人员进入施工现场应佩戴安全帽,高处作业、窑炉各坑道口处作业时,应佩戴安全带,安全带应牢固地挂在可靠点。高空作业应穿防滑鞋,临边洞口应设置防护栏杆及挡板。作业区应挂安全网。

21.1.3 在施工现场的仓库、材料堆放区、易燃易爆物品堆放区、生活区、办公区等应配备消防设施及设置消防栓,并定期对消防器材放置区域进行检查。

21.1.4 易燃、易爆和有毒材料应分类、分区域堆放在仓库内,并设置专人领取、使用、归还的管理制度。放置易燃、易爆和有毒材料的仓库应悬挂明显的安全警示标志牌。在易燃、易爆区域使用明火作业时,应首先办理动火证,不得无证动火。动火过程中,应采取安全有效的防范措施。

21.1.5 施工现场危险区域设置的安全标语、安全警示牌、安全标志,应张贴或悬挂在醒目的位置。在施工区域存在高处坠物风险的人员走动区,应搭设安全可靠、符合规范要求的安全通道。

21.1.6 无论白天或夜晚,施工现场作业区及材料运输通道应保持光线充足。防止因作业环境光线较暗导致安全事故的发生。

21.1.7 起重设备使用前必须进行安全检查,检查合格后才可使用。特种设备必须由专业操作人员持证上岗,所有设备及电气线路应设置专人定期维护保养。本条为强制性条文。

21.1.8 设备使用前,施工人员应按规定佩戴相应的安全防护用品,并检查电器装置和接地保护设施是否完好,设备不得带故障作业。使用行灯时,照明电压不应超过 36V。在潮湿场所或金属容器内作业时,行灯电压不应超过 12V。如使用 36V 照明设备时,应采取防触电措施。

21.1.9 高空施工人员应佩戴安全防护用品。高空施工所使用的临时设施或装备,如脚手板、吊篮、吊笼、平台等应牢固、可靠。例如在砌筑用脚手架上,应满铺跳板。施工人员应站在两块跳板上,材料堆放应占有两块跳板的宽度。高空施工人员不得向下随意抛物。

21.1.10 对易发生泄漏的区域应安装有害气体监测报警装置或指派专人监测有害气体和氧的浓度。如发现泄漏情况,应及时采取有效措施。

21.1.11 在热态施工过程中,应配备烧伤、烫伤、防暑降温等系列药品。对进场施工人员进行安全教育,未经教育人员不得从事现场作业。所有施工人员应佩戴相应的安全防护用品。

21.1.12 在炉内施工过程中,应采取相应措施,如加强通风换气等,改善炉内环境。在夏季及高温区域施工,应配备相应药品、饮用水等防暑降温物品。

21.2 环 境 保 护

21.2.1 在工业炉砌筑施工环境保护方面,应遵循的现行标准主要有:《工业企业厂界环境噪声排放标准》GB 12348、《建筑施工场界环境噪声排放标准》GB 12523、《大气污染物综合排放标准》GB 16297、《建设工程施工现场环境与卫生标准》JGJ 146 等。

21.2.2 在施工前,施工单位应建立安全、环境保护、职业健康的管理制度,确定砌筑安全、环境卫生的检查制度和主要检查内容。

21.2.3 为了减少砌筑过程中可能产生的各类有害物质,应积极采用新材料、新工艺、新技术等,改善作业环境。

21.2.4 工业炉砌筑施工的主要污染源有:粉尘、有毒有害物质、放射线、施工垃圾等。要求砌筑过程中应加强区域通风、除尘,及时疏散有毒、有害、有异味气体和烟尘的聚集。施工垃圾应堆放在指定地点,并随时清理。运输垃圾的车辆应采取有效措施,防止尘土飞扬、洒落或流溢。

21.2.6 在砖加工、砂浆搅拌等区域应采取有效措施,防止粉尘飞散,施工人员应佩戴防尘口罩等防护用品。

21.2.7 依据现行国家标准《工业企业厂界环境噪声排放标准》GB 12348 和《建筑施工场界环境噪声排放标准》GB 12523 的规定,砌筑施工用机械的噪声限值为:昼间 70dB,夜间 55dB。工业炉砌筑施工应选用噪声小的施工机械,采取噪声隔离等措施。

21.2.9 固体废弃物处理前,应首先考虑是否能作为二次资源利用,可回收再利用的固体废弃物应集中存放并及时清理回收。废弃物应运输到场内指定存放地点分类堆放,并及时处理,不得将有毒有害的固体废弃物回填。

统一书号:1580242·639

定　价:46.00元

UDC

P

中华人民共和国国家标准

GB 50211－2014

工业炉砌筑工程施工与验收规范

Code for construction and acceptance
of industrial furnaces building

2014－11－15 发布 　　　　2015－08－01 实施

中华人民共和国住房和城乡建设部
中华人民共和国国家质量监督检验检疫总局 　联合发布